Marta

¡Eh, tú!
Estás entrando en
área restringida.
Este diario es mío
y solo MÍO.
¡No seas cotilla!

El diario de
MARTA
LA RARA

ANA BERMEJO

El diario de MARTA LA RARA

Ilustraciones de
CANDELA FERRÁNDEZ

montena

El papel utilizado para la impresión de este libro ha sido fabricado a partir de madera procedente de bosques y plantaciones gestionadas con los más altos estándares ambientales, garantizando una explotación de los recursos sostenible con el medio ambiente y beneficiosa para las personas.

Por este motivo, Greenpeace acredita que este libro cumple los requisitos ambientales y sociales necesarios para ser considerado un libro «amigo de los bosques». El proyecto «Libros amigos de los bosques» promueve la conservación y el uso sostenible de los bosques, en especial de los Bosques Primarios, los últimos bosques vírgenes del planeta.

Diseño de la cubierta: Random House Mondadori / Judith Sendra

Segunda edición con este formato: enero de 2012

© 2004, 2011, Ana Bermejo, por el texto
© 2011, Random House Mondadori, S. A.
   Travessera de Gràcia, 47-49. 08021 Barcelona
© 2011, Candela Ferrández, por las ilustraciones de la cubierta y del interior

Printed in Spain – Impreso en España

ISBN: 978-84-8441-802-3
Depósito legal: B-2.262-2012

Compuesto en Compaginem
Impreso en Limpergraf
Mogoda, 29. Barberà del Vallès (Barcelona)

GT 1 8 0 2 3

Para Javier, mi hermano

Gracias por saber tanto
de Español.

Gracias por trabajar tan
duro en todas tus tareas.

Gracias por ayudarme a
traducir a tu mamá.

¡Sigue así y nunca olvides
que estoy ahí para ayudarte!

Besos.

Laura
Spain.

DIARIO
de Marta Bis

Siempre he creído que escribir un diario es una auténtica antigualla, algo así como guardar flores secas entre las páginas de un libro o mechones de pelo en un guardapelo de plata. ¡Vamos, como diría mi abuela, una costumbre ancestral! ¿O es que no es una estupidez contarle a un papel lo triste que estás porque Paula no te invitó a su cumpleaños, o porque el bestia de tu hermano te ha dado un sopapón que te ha dejado grogui…? ¡Pues tú tampoco le invitas, y ya está! ¡O vas y te acercas a Ignacio y le devuelves el golpe! Bueno, Ignacio es mi hermano; tú le tendrás que arrear al tuyo. Se entiende. ¿Estamos o no estamos en el siglo XXI? ¿Y no hay igualdad de sexos? Pues, entonces, ¿a qué tanto lloriqueo?

A mí eso de escribir un diario me parece una tontería propia de las señoritas remilgadas del siglo pasado y de la pava de

Patricia López

que es más tonta que una oveja tonta,

7

como diría Maa, la amiga del cerdito valiente. Entonces, te preguntarás qué narices pinto yo escribiendo un

DiiiAAARRRiiiOOO

Bueno, te explico. En realidad, esto que tienes ante ti no es exactamente un diario; es más bien una terapia; una terapia de lo más científica, y te aseguro que es un remedio buenísimo contra la soledad.

No, no es un invento mío. La idea es de un psiquiatra muy famoso; se llama doctor Nuez y sale en la tele. Lo vi en un programa de esos que tienen consultorio médico: *Las tardes con Paulina* o *Corazón de melón*, no recuerdo el nombre. El caso es que aquella tarde, cuando llegué a casa del cole, fui a la cocina a coger la merienda y allí estaba mi abuela, clavada ante la pantalla del televisor, tomando sus sopas de leche… A mi

madre esta escena la pone de los nervios. «¿Se puede saber, mamá, por qué no meriendas en el cuarto de estar, en lugar de estar aquí sola en la cocina?», le pregunta casi a diario. Y mi abu, que sabe perfectamente que hay ocasiones en las que es mejor no discutir con su hija, baja la cabeza y asiente; pero sigue merendando donde le da la gana.

Mi abuela, entre sopa y sopa, no le quitaba el ojo al televisor. Asistía entusiasmada a una trifulca entre dos rubias de bote, cuando un cartel de lo más atómico iluminó la pantalla:

Y con la misma rapidez con la que había aparecido, el cartel se esfumó. Como yo no estaba por la labor de oír hablar de soledades, que bastante tenía con las mías, en un descuido de mi abuela intenté cambiar de canal; pero apenas había rozado el mando con un

Calamar

dedo cuando, ¡plaf!, un nuevo personaje apareció en la pantalla. Era un tipo larguirucho, de aspecto atlético, que me miraba fijamente a los ojos mientras asegura-ba ser psiquiatra. Hablaba bajito, muyyy despaaaaaa-ciooooooo… Y creo que me hipnotizó, porque dos horas después seguía allí, pegada a la pantalla como un calamar a la plancha. Eso sí, un calamar solitario.

El doctor Nuez presi-día una mesa larguísima en la que los invitados ha-blaban y hablaban sin pa-rar. Gritaban, se interrum-pían. Todos querían contar-le su caso al famoso psiquiatra, quien, milagrosamente, permanecía imper-térrita ante aquellos alaridos. De pronto, entre aquella jaula de grillos destacó una voz chillona y aflautada: era una señora gordita, de pelo rojizo, que parecía estar de lo más mustia:

–Uy, doctor Nuez; me encuentro muy sola, doctor. Mis hijos se han hecho mayores y mi marido no me es-cucha, doctor. No tengo a nadie con quien hablar, doctor.

El médico, apabullado ante tal avalancha de «doc-tores», no tuvo más remedio que improvisar un diag-nóstico:

–Señora, lo suyo suena a depresión. Deje usted que sus pensamientos fluyan con libertad. Exprese sus sentimientos sin temor. Si no tiene con quien hablar, no importa.

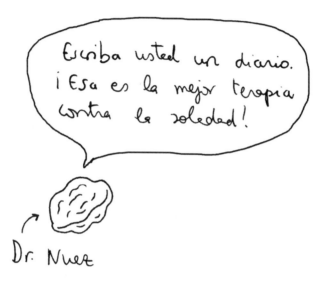

«¿Terapia contra la soledad? –me dije a mí misma–. Pues yo estoy más sola que la una, tan aburrida como una ostra sorda y hasta el mismísimo gorro de que nadie me haga caso. ¿Y si pruebo con este invento?», me pregunté. Y una vez convencida de que mi futuro exigía transcribir mis penas en un papel, me deslicé hasta el cuarto de Ignacio y le birlé un cuaderno de lo más chulo al que ya le había echado el ojo. ¡Ah!, como ya te había dicho, Ignacio es mi hermano mayor. Bueno, pues cogí su cuaderno de tapas rojas y escribí en la primera página con letras mayúsculas: Diario-Terapia de Marta.

Y me senté a esperar. Allí seguía yo una hora después, tan tiesa como una estatua, esperando a que mis pensamientos comenzaran a fluir libremente, para expresar mis sentimientos sin temor. Eso había dicho el psiquiatra, ¿no? Pasó una hora, y otra, y otra más. Pero ¿es que para escribir un diario se necesitaba inspiración? Pues eso no lo había dicho el DOCTORRRRR... Es como cuando vas a que te pongan una vacuna y te dicen que no va a doler, ¡y vaya si duele! «Los médicos siempre te dicen la verdad a medias», pensé enfadada. Te cuentan una mitad que siempre está llena de nombres acabados en itis: «apendicitis», «amigdalitis», «faringitis»... Pero de la otra mitad, la que comprendes fácilmente –«duele», «pincha», «quema» o «amarga»–, de esa no dicen ni palabra. ¡No te fastidia!

Mosqueada como una mona, decidí rebelarme contra la medicina en general, puse fin a la terapia y me fui a jugar a casa de Marcos.

Cari y yo haciendo el
tonto en el fotomatón

Baby (mi perra)

Marcos
(T. Q. M.)*

la familia al completo

14

* Te quiero Mucho

1. ¿Rara *yo?*

Ignacio = Reptil ↑

Por cierto, yo no soy nada rara, ni me llamo Marta Bis. Soy Marta eso sí, pero Marta Ortiz Baquero, hija de María y Nacho, nieta de María, sobrina de Ginés, amiga de Cari, novia de Marcos y hermana de Ignacio… ¡Por desgracia! Porque ese repugnante reptil tiene la culpa de ese horrible Bis que me acompaña. Él y solo él. Ignacio es muy listo, y muy alto y muy mayor, y un cretino, porque solo a él puede ocurrírsele ir contando por ahí que su hermana pequeña tiene doble personalidad, ¿o no?

Y todo por hacerse el gracioso en clase de lengua. Su profe les había puesto un trabajo extra para el informe anterior a la evaluación. Tenían que escribir una redacción de tres folios sobre la familia. Así, en general. Y mira por dónde decidió escribir sobre mí. ¡Pero yo no soy su familia, soy su hermana! ¡Bueno, una parte de su familia sí! Pero ¿no podía haber hablado de mi abuela, o del tío Ginés, o de mis padres…?

Su redacción, que ha acabado siendo más famosa que Harry Potter, decía más o menos así: «Mi familia es gente normal. Bueno, todos menos mi hermana, que es más bien rarita. Tiene trece años, lleva un horrible aparato en los dientes y unas gafas azules de lo más cursi. Se llama Marta, aunque todos la llamamos Marta Bis porque tiene doble personalidad». Y añadía el muy cenutrio: «Lo de mi hermana es como lo de Jekyll y Hyde. Por la mañana puedes encontrarte con una Marta ñoña, que viste tutú, se traga los programas más petardos de la tele y se pirra por los bocatas de Nocilla; y por la tarde aparece Marta la Intrépida, discípula aventajada de Mortadelo y Filemón, que atrae los problemas como un imán y es capaz de meterse

en los líos más increíbles. Vamos, que mi hermana parece la niña de *El exorcista*».

¿Os habéis fijado en cómo corren las noticias que uno espera que sean secretas? Lo de Marta Bis recorrió el cole como la pólvora. Cuando salí al patio en el recreo, noté que las cabezas se volvían a mi paso y que ciertas risitas se paraban en seco cuando yo me acercaba. La verdad es que volví a mi clase bastante mosqueada, después de haberme comido el bocata. De Nocilla, por supuesto. Porque de todo lo que había dicho mi hermano esa era la única verdad: me gusta la Nocilla. Bueno, también llevo gafas, y aparato corrector, y me encanta la tele… Pero lo de los líos es falso. ¡Asquerosamente falso!

Después de mi extraterrestre experiencia en el patio –todos me miraban, pero, al parecer, nadie me veía–, entré en mi clase despacito, con el gesto torcido, intentando pillar in fraganti a los posibles murmuradores. Pero nadie decía ni mu. «¡Uf, qué relajo!», pensé. Un poco más tranquila por no ser la comidilla de toda la clase, me fui directita a mi mesa dispuesta a desaparecer en el hiperespacio en un pis-pas. Y cuando ya estaba a punto de sentarme en la silla lo vi. ¿Qué era aquello que brillaba en medio de la pizarra? Como soy más cegata que un topo, tuve que acercarme un par de pasos para leer el mensaje que algún gracioso había escrito en medio del encerado con tizas de colores:

Y como en clase no había más Marta que yo y nadie más tenía la desgracia de tener a Ignacio como hermano, todos supieron al instante que yo era aquel bicho raro del que hablaba la redacción. Me puse tan furiosa, tan nerviosa, que la cabeza me empezó a dar vueltas, se me puso el estómago del revés y, aunque me puse las manos en la boca intentando evitarlo, terminé vomitando en plena clase; justo enfrente del pupitre de Marcos, que, pálido como un muerto, trataba desesperadamente de retirar su cartera del suelo justo en el momento en el que una especie de sopa de Nocilla surgió de mi boca e impregnó la manga de su jersey. «¡Solo me falta girar la cabeza 360 grados!», pensé para mí, poco antes de caerme redonda.

Me desperté en el despacho del dire. Estaban intentando localizar a mi madre para que fuese a recogerme, pero mi madre no aparecía por ninguna parte. Y allí estaba yo, blanca como una nevera, con el estómago hecho polvo y sin atreverme a mover ni un dedo, no fuese a comenzar nuevamente la ducha incontrolada de Nocilla.

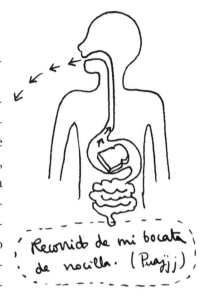

Recorrido de mi bocata de nocilla. (Puajjj)

Pasé dos horas sentada en aquel despacho, imaginando la manga de Marcos llena de churretes y con la cabeza inundada de pensamientos catastróficos: «¡Ojalá venga un platillo volante y me rapte! ¡Ojalá caiga un diluvio y no pueda volver al colegio en un año…! ¡Ojalá aparezca mi madre y me lleve a casa de una vez!».

Mi madre llegó; dos horas más tarde, pero llegó. Venía corriendo como una exhalación.

–Marta, cariño. ¿Te encuentras bien? Pero ¿qué te ha pasado, hija? ¿Te sentó mal la cena, o ha sido el desayuno…?

Yo solo acertaba a contestar:

–La culpa la tiene Ignacio. Todo es por culpa de Ignacio.

–Pero, hija, ¿cómo va a tener tu hermano la culpa de que tú vomites? ¿Es que estás tonta?

Yo allí, medio muerta, y mi madre va y me insulta.

Por si no te habías dado cuenta, Ignacio es el preferido de mi madre, y yo soy casi huérfana.

Desde ese cochino día, todo el mundo en el cole me llama Marta Bis, y Marcos cuelga su cartera en el respaldo de la silla.

Ese mismo día, por la tarde

Cuando llegué a casa me fui derechita a la cocina, decidida a contarle a mi abuela todas mis cuitas. No omití ningún detalle; es más, creo que hinché un poquito la historia: porque el coro que me acompañaba al salir del colegio llamándome Marta Bis y me tiraba gomas de borrar solo vivió en mi imaginación. Pero reconocerás que le ponía una nota aún más trágica.

A medida que le iba desgranando a mi abu punto por punto toda la historia, yo veía cómo la vena que tiene la abuela en el centro de la frente, y que se le hincha cuando se cabrea, iba tomando relieve y se tornaba violeta. La abuela me miraba a los ojos.

–¿Que tu hermano ha hecho qué...? –gritó por fin, fuera de sí. Y añadió–: Este niño ha perdido el juicio –que es la forma en que la abuela llama gilipollas a la gente, de una forma más educada–. ¡Ven aquí, mi niña! ¡Tú, Marta Bis, con lo rica y lo mañosa que eres! –proclamó mi abuela dándome un abrazo interminable.

Al fin alguien me entendía. Hablo de mi abuela, porque lo que es mi madre se quitó de en medio con eso

¡Vena a punto de explotar!

① ② ③

Proceso de cabreo de mi abu

de sus prisas sempiternas y me dejó más tirada que una colilla.

–No le des tanta importancia, Marta, es una broma, ya sabes cómo es Ignacio –me dijo como despedida final, antes de volver corriendo al trabajo.

–Sí, lo sé. ¡Es un imbécil! –le grité cuando ya salía por la puerta. Y en ese mismo momento juré por la sombra de la mona de Tarzán, que mi hermano me las iba a pagar. Hice una cruz con los dedos y besé en medio de la cruci. Así el juramento se convertía en algo inviolable. «Yo, como los juramentados de las pelis», prometí.

Esperé a mi padre toda la tarde, sentada en el sillón que hay justo enfrente de la puerta de entrada. Estaba dispuesta a contarle todas mis penas en cuanto llegara. ¡Esta vez, Ignacio se la iba a cargar! Pero supongo que lo de la vomitona me había dejado cierta debilidad en el cuerpo, así que mientras planeaba una venganza feroz me quedé dormida como un tronco, con la cabeza medio oculta por una gabardina que colgaba del perchero.

En esa posición debí de pasar unas cuantas horas, porque cuando me desperté las luces estaban apagadas y todo el mundo en mi casa dormía plácidamente. «¡Y luego dirán que me quieren!», grité. Yo allí, retorcida como un ocho, semioculta por la gabardina de mi padre, y nadie en mi casa se había dado cuenta. ¡Qué familia! ¡Qué sentido paternal! «¡Qué narices!», solté a voz en grito mientras trataba de enderezarme. Pero aquella posturilla infernal había hecho su efecto y, cuando al fin logré ponerme en pie, es un decir, mi figura era una especie de cruce entre el Jorobado de Nôtre Dame e Igor, de *El jovencito Frankenstein*. Con la cabeza torcida hacia la derecha, el cuello ya no me daba más de sí; y apoyándome con la mano izquierda en el suelo, fui reptando hasta mi cuarto.

«¡Ya estoy en la cama, desaprensivos!», grité a los cuatro vientos.

16 de abril

Hoy no he ido al cole. Entre el achuchón de mi episodio vomitivo y la vergüenza que me da volver a clase,
me he hecho la enferma. Y como mi madre se siente
un poco culpable, ha colado. Mira que llamarme tonta
cuando estoy a punto de morir de puro sofoco... Mira
que dejarme olvidada en el perchero como si fuese un
chubasquero...

Decidida a no poner un pie en la alfombra, he can-
tado mis miserias a todo aquel que quería oírme:

–¡En esta casa nadie me hace caso! ¡Me dejasteis
tirada en el sillón de la entrada, sin cenar! ¡Malos padres!

–¡Eh!, ¡eh!, hija, ¿a qué vienen esos gritos? –he oído
que mi padre vociferaba desde el pasillo.

–Pues ven y te lo contaré –le he replicado yo, hecha
toda una señoritinga.

Tras unos toquecitos en la puerta, mi padre ha entrado. Venía, cómo no, acompañado por mi madre.

Les conté lo del Marta Bis, mi mosqueo, mi trans-
formación en Igor... Mi padre estaba muy serio, aunque de vez en cuando se le escapaba media sonrisita.
Mi madre parecía inquieta. ¡No, no estaba preocupada!
Tenía prisa. Le volvía a dar un ataque de velocidad.

–Pero, hija, como llegué tan tarde, creí que ya estabas
en la cama –añadió Ignacio I, intentando disculparse.

Y ahí entró directita mi madre:

—Marta, no seas tan teatrera. Después de lo de la vomitona, yo creía que estabas en la cama, que la abuela te habría preparado un caldito. Vamos, que no es para tanto —me soltó la Baquero, sin inmutarse lo más mínimo.

«¡Vaya familia —pensé—. ¡Ni que la hubiera adquirido en las rebajas de El Corte Inglés!» 😠

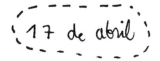
17 de abril

Por más que me he metido los dedos en la boca, he bebido agua caliente y me he acercado la Nocilla a la nariz intentando vomitar, *mia mamma* lo tenía muy claro:

—Marta, hoy al cole. Y punto.

No han servido de nada mis excusas, ni mis náuseas, ni mi desmayo… fingido, por supuesto. Visto que mi destino estaba decidido, me he metido en la ducha, dispuesta a ensayar mi entrada en clase. ¿Qué iba a decir? ¿Cómo tenía que actuar? ¿Iría de dura, como si nada me importara? ¿Iría de mustia, por lo malita que me había puesto? ¿Y si fuese de amnésica, como si no recordase nada de lo ocurrido? La tercera opción era perfecta. Ya podían reírse y cuchichear todo lo que quisieran, porque como yo no me iba a acordar de nada…

Una vez planificada mi actuación teatral del día, me he puesto el uniforme a regañadientes. Me he dejado el pelo suelto por fastidiar a mi madre y me he olvidado el bocata en la encimera de la cocina, para que viera que tengo personalidad.

He llegado al cole a las nueve en punto y me he ido directita a mi clase, como de extranjis. Sin correr, pero apresurando el paso por los pasillos. Me he sentado en mi silla y al instante he notado que todos me miraban. Y yo solita, sin ayuda externa, he recordado todo lo de Marta Bis. Y me han subido un sofoco y un mosqueo que de pronto me he olvidado de mi papel de amnésica y he gritado a pleno pulmón:

¡No me llamo Marta Bis, ni soy rara y no tengo ningún hermano que se llame Ignacio! ¡Soy hija única!

Entonces me he dado cuenta de que mis compañeros no me miraban a los ojos: más bien me miraban a los pies. ¿Mis pies? Homer y Bart Simpson aparecían entre las patas de mi mesa. Movían la cara cuando yo movía las piernas y parecían sonreír cuando las encogía. Con tanto ajetreo, con tanto arrechucho y con tantas prisas, ¡había ido al cole <u>en zapatillas!</u>

«No, si este no es mi siglo», he pensado para mí, mientras todos se reían, incluida mi amiga Cari. Y por una vez en la vida, en vez de ponerme roja hasta las cejas, me ha entrado una risa floja que ha ido aumentando, creciendo, desbordándose… Hasta que la profe me ha dicho que ¡a sentarse!, que ya estaba bien de dar la nota, que porque había estado enferma que, si no, entonces mismo me mandaba al despacho del director!

La oía a lo lejos, porque en mi interior me seguía riendo a pleno pulmón, mientras intentaba ocultar a los Simpson de miradas ajenas; pero me he sentado de inmediato. «Mira que como tenga que caminar por los pasillos con esta pinta…», he pensado. Por un segundo, ante la perspectiva de ser el blanco de todas las miradas, ya no me he movido de mi silla en seis horas, ni siquiera para ir a hacer un pis.

Eso sí, en cuanto ha sonado el primer ¡riiinggg! que anunciaba el final de las clases, he salido pitando para casa a tal velocidad que creo que nadie ha podido advertir si llevaba zapatillas o zapatos. Es más, todavía dudo de que la estrella fugaz que algunos de mis vecinos aseguran haber visto esta tarde sobre el cielo de Madrid no fuese yo mismita sobrevolando la calle de Mateo Inurria.

2. Ten amigos para *esto*

Mi amiga Cari también dice que soy tonta. No, no por lo de ayer, ni por lo de la vomitona. Ella lo que no entiende es que yo diga que estoy sola.

–Pero si estás siempre rodeada de gente. Están tus padres, tu hermano, tu abuela, tu tío Ginés... También tienes un perro, y un conejo de Indias y un periquito.

–¡Oye, oye, no! –corté de cuajo su retahíla–. Que el conejo de Indias es de mi hermano.

–Bueno, pues aun así –prosiguió Cari–. Pero si tu casa a veces parece la de la familia Trapp.

–¿La familia Trapo? Pero ¿quiénes son esos? –le pregunté bastante mosca porque metiese en mi vida privada a gente de la que nunca había oído hablar.

–«Trapo» no, burra, «Trapp» –insistió Cari y, a continuación,

DO RE MI FA SOL LA SI DO

↓

FAMILIA VON TRAPO

comenzó a largarme la historia de unos suizos que tenían tantos hijos que podían formar ellos solitos una orquesta. Y como cuando Caricotorrez empieza a hablar no hay quien la pare, siguió y siguió parloteando–: Mira, a mí me encantaría que mi abuela viviera conmigo y tener un perro, pero mi madre no me deja… y por eso no pienso que me odia, ni que prefiere a mis hermanos. –Y como si de pronto se hubiese convertido en la ayudante del doctor Nuez, va y me suelta–: Marta, lo tuyo son celos y nada más. –Y se quedó tan pancha.

Ella no entiende que se pueda estar más sola que la una aunque haya mucha gente a tu alrededor.

–¡Mira si hay gente en el metro y está más perdida que en Hong Kong! –le contesté yo, muy mía.

Pero ni por esas; ella erre que erre: que si mi madre me quiere, que mi hermano no es así…

La verdad, no sé cómo sigo siendo su amiga.

Diga lo que diga Cari, en mi casa no me hace caso ni Baby, mi perra, y eso que la cuido como si tuviese pedigrí y no fuese un chucho pulgoso. Yo la paseo, la rasco, le pongo comida, la llevo al veterinario… Pues aun así la muy ingrata prefiere a mi hermano, que no la saca a la calle ni por casualidad. ¿Será esta una de las paradojas de la vida de las que habla mi padre?

Lo que más me fastidia es que yo fui la primera en reconocer que Baby tenía su perropersonalidad; porque ahí donde la ves tan chulita, tumbada en su cojín y ladrando a troche y moche, Baby es una perra adoptada. ¡Sí, te lo juro! Nos la regaló una compañera de trabajo de mi madre que había tenido perritos. Bueno, ella no: su perra, se entiende. El caso es que un día llegó mi madre a casa toda ufana con un chucho bastante raquítico dentro de un bolso. Cogió al minichucho por el cogote, lo dejó en el suelo de la cocina y nos preguntó:

–¿Qué os parece el cachorrito?

–¿Cachorrito de qué? –le soltó mi hermano, con muy malas pulgas, porque el aspecto de aquel can dejaba mucho que desear, y mi superhermano quería un pastor alemán.

—Pues creo que es un cruce de beagle y pincher —le respondió mi madre, un tanto insegura.

—¡Jo, pues por su aspecto también puede ser el cruce de un tractor y un gato siamés, o de un cocodrilo y un armario ropero! —añadió Ignacio entre risas.

Mientras discutíamos sobre su árbol genealógico, Baby, que siempre ha sido muy sentida, aprovechó el tiempo para mearse a lo largo y ancho de toda la cocina, como diciendo: «Soy pequeña, pero puedo mear tanto como un san bernardo».

—¿Cómo es posible que un bicho tan pequeño pueda mear tanto? —le pregunté a mi madre.

Y entonces Baby me miró fijamente e inmediatamente después se restregó contra mis piernas. «Por fin alguien se ha percatado de que soy un ser perruno», parecía decirme. Así comenzó nuestra historia de indiferencia.

Ante tan calurosa acogida, mi madre pilló nuevamente al chucho y, después de soltarme un cubo con

Meona n.º 1

dos litros de lejía para que limpiase el reguero de pis de la nueva inquilina, se fue derechita al veterinario para que le echase una ojeada y, de paso, le confirmase si aquella bolita de pelo pertenecía a alguna raza canina, porque ella también andaba un poco mosca con su aspecto. Luego nos contó que nada más entrar por la puerta del consultorio, Juan, el veterinario, se la quedó mirando con ojos de huevo y le preguntó con voz de sorpresa:

—Oye, María, pero ¿qué es eso que me traes ahí?

—Pues precisamente venía a que me lo aclarases —le contestó mi madre un tanto sofocada.

Desde ese día, en mi casa dimos por zanjada la cuestión perruna y asumimos que Baby era un perro inclasificable. Pese a todo, el chucho ha sobrevivido sin complejos.

Por cierto, a Cari no le he dicho que escribo un diario, porque seguro que querría leerlo y luego no pararía de contarle a todo el mundo que si yo escribo esto, que si yo creo aquello... Y un diario, y más si, como este, está escrito por prescripción facultativa, no es para que los demás vayan chismorreando todos sus secretos.

3. La reina del *tutú*

23 de abril

Ayer no pude escribir nada porque llegué muy tarde a casa. Mi madre tenía que ir a buscarme a clase de ballet, pero terminó tarde en el trabajo y tuve que esperar más de una hora a que apareciese. Llegó acelerada, como siempre. ¡Vaya novedad!

–¡Vamos, Marta; sube, hija; vamos, que es muy tarde! –me acosaba desde el volante, como si yo no me hubiese dado cuenta de la hora que era.

–¿Por qué has tardado tanto? –le pregunté–. Hace una hora que se ha ido todo el mundo. Además, está lloviendo y me he puesto como una sopa.

Mi madre me miró con cara de urraca.

–¿Y por qué no te has puesto el chubasquero, eh? –me preguntó desafiante–. ¡Con el chaparrón que ha caído! ¡Oye, Marta, que ya no eres una niña! ¡A ver si te portas con madurez! Salgo corriendo del despacho para venir a buscarte. He tenido que salir de una reunión. Ni siquiera he podido poner gasolina…

Y siguió dándome la matraca: «¡Menudo atasco he encontrado!». Yo solo escuchaba un lejano rumor… Algo así como un bisisbisisbisisi… Cuando mi madre se pone a darme la bronca, dejo la mente en blanco y pienso en un campo lleno de amapolas. ¡Me encantan las amapolas! Y entonces casi desaparece su voz. También asiento de vez en cuando con la cabeza, así no tiene que decirme: «Marta, ¿me escuchas?». Claro que con lo de la cabeza tampoco hay que pasarse, porque en una de esas te matriculan en clase de danza y tú asientes, y aquí me tienes, que ya llevo tres años con tutú.

El sonido de un claxon me hizo volver a la realidad.
«En esta ciudad no saben conducir cuando hay lluvia»,
continuaba mi madre. Y tras una rápida ojeada a su reloj de pulsera, añadió:

–¡Jesús, qué tarde es! Bueno, Marta, sube al coche de
una vez.

Recorrimos como un relámpago la Castellana. Mi
casa está a unos veinte minutos de la calle de Alcánta-
ra, donde está mi academia de danza; pero veinte minutos sin coches, sin lluvia y sin semáforos. Y es que,
como dice mi mami: «Cuando llueve en Madrid, todo
el mundo se vuelve loco: los conductores, los peatones,
los semáforos; hasta los coches, que parece que van al
ralentí…».

Estaba disertando yo conmigo misma, mientras mi
madre apretaba el acelerador, cuando de repente vi una
luz roja en mis narices.

–¡Uy, mamá, ten cuidado…!

No me dio tiempo a terminar la frase. Se oyeron un frenazo y un ¡plafffff! El semáforo se había puesto rojo y las ruedas del coche, que navegaban en medio de un gran charco, habían levantado una ola fantástica. Lástima que al otro lado de aquella especie de laguna hubiese un policía municipal.

–¡Señora! ¿Es que no ha visto usted el semáforo? –gritó el guardia.

–Pues claro que lo he visto, ¿o es que no ve usted que he parado en seco? –le contestó mi madre, muy chulita.

–Bueno, ¿en seco?… –reí yo.

No fue un comentario muy afortunado, lo reconozco. Es más, al poli, cuya gorra le goteaba como si se hubiese metido vestido en la ducha, no pareció hacerle ninguna gracia… Ni tampoco a mi madre, que me miraba con los mismos ojos con que mira al conejo de Indias de mi hermano…

–¡Además, con bromitas, ¿eh?! ¡Enséñeme la documentación! –ordenó el municipal mientras se retorcía una punta de su raído bigote.

Una hora después y, con una hermosa multa bajo el brazo, llegamos a casa. Mi madre estaba de un humor de perros e iba mascullando entre dientes:

–¿A quién se le ocurre reírse de un municipal? Si no llega a ser por esa gracia, no hubiese pasado nada. ¡Qué cría! ¡Una multa de cien euros! ¿Cuándo crecerá?

«¡Es que yo no quiero crecer, ni ser mayor, ni madura…!», grité muy alto, pero para mis adentros.

4. Marta for president

Yes, I can!

Yo me hablo mucho a mí misma y también grito muy alto, pero para mis adentros. Gritar solo para ti es lo mejor cuando de verdad estás cabreada y quieres chillar, ¡rugiiirrr! Antes, si me enfadaba, gritaba muy alto. Entonces llegaba mi madre y me echaba la bronca; se acercaba mi hermano y me daba un sopapón, y aparecía mi abuela y me soltaba su murga: «Esta juventud… Si yo le hubiese dicho eso a mi madre… Si mi abuela te hubiese oído… Si yo hubiese levantado la voz en mi casa…». Te suena, ¿verdad?

¡RUGiiiR!

Cuando comprendí que lo de gritar no era nada práctico, inventé un nuevo método de grito: el grito oculto. Chillas mucho, muchísimo; chillas hasta desgañitarte, pero lo haces hacia dentro, para ti misma, como si respirases profundamente. Lo descubrí en pleno ataque de mosqueo sideral. Estaba yo aguantando la respiración hasta ponerme morada, para que se fastidiase mi madre, que me había castigado sin ir al cine por echarle pienso de Baby al desayuno de mi hermano –una broma sin ninguna malicia– cuando de pronto me di cuenta de que estaba dando auténticas voces, pero mi madre no me oía. «¡Me estoy gritando a mí misma!», me dije. Emocionada por mi descubrimiento –yo nunca había descubierto nada, ni siquiera que los niños no venían de París, que me lo tuvo que contar Cari–, decidí empezar ya mismo mi plan de entrenamiento. Al principio inspiraba tan profundamente que me ponía roja como si estuviera a pun-

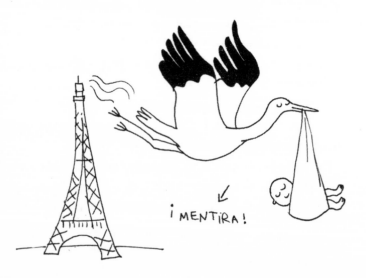

¡MENTIRA!

to de estallar. Mi cara pasaba del blanco al granate haciendo una paradita en el lila; pero eso solo duró un par de semanas. Poco a poco, empecé a controlar mis inspiraciones, hasta que logré dominar los aullidos insonoros, mis gritos inaudibles... y hasta hoy, que soy la presidenta del Club Chíllese a Sí Mismo.

Y no es porque yo sea la presidenta del club, pero de verdad, de verdad que chillar para una misma tiene sus ventajas. Te cuento. ¿Que la imbécil de Patricia te mira por encima del hombro? Pues vas y le gritas un: «¡Niña, no seas cretina...!» que podría ensordecer a media humanidad si lo hicieses *a viva voce*; pero con mi método la niña ni se inmuta y tú te quedas más ancha que la reina de los mares. Que tu lelohermano se pasa cuarto y mitad y te pone en el disparadero, pues vas y le sueltas un aullido feroz: «¡So memo, mastuerzo, diletante!» (esto no sé qué es; se lo oí una vez a un tipo en la tele y me sonó tan bien que lo apunté en mi agenda), que si se lo dijeses a voz en grito te ganarías un machucón de órdago. Oye, pues así, pasa a tu lado como si cualquier cosa y tú te estás riendo para tus adentros, mientras le sueltas, eso sí, en voz baja: «Si tú supieses lo que te estoy llamando...». Y él imbécil va y te sonríe. 😊

Mi método también es infalible para respuestas materno-paternas. Si tu madre insiste en que desayunes sentada, en que te cepilles los dientes de arriba abajo, por delante, por detrás... vamos, la matraca de costumbre, y te tiene hasta la mismísima coronilla, vas y le

41

gritas como una posesa: «¡Señora, ¿por qué no se mete usted en sus asuntos y deja mis piños y mi estómago en paz? ¿Es que no tiene usted nada mejor en que perder el tiempo?». Y ves como tu madre te mira muy seria y te dice: «Pero, Marta, ¿no me has oído?», en vez de llamar a tu padre de inmediato y soltarle una perorata sobre si le has gritado o si le has dicho esto o aquello.

Los chillidos insonoros son fetén en caso de amigas desaprensivas. Que te enfadas con Cari, por poner un ejemplo, pues vas y en vez de soltarle un «Resentida, rencorosa, mala amiga», así por lo bajinis, que resulta un

poco cursi y además parece como si no la hubieses insultado ni nada, vas e hinchas el pecho y le sueltas un inaudible «¡Vacaburra!» que te llena la boca y el corazón. A veces, incluso me sorprendo de que no se mosquee. ¡Como si me oyese!

Pero lo chachi de mi descubrimiento es que una puede gritarle a todo trapo al director del cole, a la señorita Laura, al gilipuertas del profe de gimnasia, que nos obliga a hacer un millón de flexiones en un segundo, sin dejarnos recuperar el aliento, a súper Paca, la enfermera del cole, una vaca suiza que en cuanto te descuidas te da un languarinazo en plena cocorota antes de mandarte nuevamente a clase, con una aspirina y el pescozón correspondiente.

«Señorito/a, lo suyo es puro cuento», suele soltarle a todo aquel que va por la enfermería, aunque vaya con el cuello colgando, cual ganso recién decapitado. «A clase ipso facto», añade invariablemente la muy foca, con un mugido final.

¿Que te quieres hacer de mi club? Pues apúntate, aunque primero tendrás que aprender a modular bien el volumen de tus gritos, porque ese es el único inconveniente de mi descubrimiento. Uno se acostumbra a soltar gritos a diestro y siniestro, a ponerle las peras al cuarto a todo el que se cruce en su camino, y el día más inesperado va y te traiciona la voz, y esos aullidos que debían ser inaudibles para el mundo en general por arte de birlibirloque se convierten en un torrente de rugidos que dejan atónitos al personal. ¿El remedio? Pues la verdad, yo todavía no lo he encontrado, pero me imagino que será cuestión de entrenamiento. ¿No dicen los adultos que todo es cuestión de poner empeño? Pues eso.

Pero aquí donde me ves, no solo soy la presi del chillido oculto: también soy la reina de la charla con una misma. No, no es que esté más zumbada que un tambor; es que cuando en tu casa nadie te hace caso, cuando hablas con el personal y parece que nadie te escucha, pues con alguien tienes que hablar, ¿no? ¡Qué narices! Así que practico la conferencia Marta-Marta casi a diario. Me pongo frente al espejo, me pregunto las cuestiones más estúpidas –eso diría mi madre al menos– y yo solita me contesto. Y además me doy la razón. Bueno, no siempre, porque a veces me oigo soltando unas parrafadas rarísimas, como si mi body fuese por libre y en vez de hablar conmigo estuviese hablando con un ser extraño que estuviese alojado justo a la altura de mi esófago. Ahora que lo pienso: «¿Estaré poseída? ¿Llevará razón mi hermano y tendré algo de la niña de *El exorcista*? Me voy ahora mismo al espejo a hacerme una pregunta crucial: ¿De verdad soy Marta Bis? ¿Tendrá mi otro yo la respuesta?».

Una de autobombo

Hablar con una misma es buenísimo para subirte la moral cuando tienes el día torcido, es decir, siempre. Si te enfadas con tus amigos, si tus padres te abandonan, si tu antiguo novio no te mira y si Iker Casillas sigue a lo suyo, sin cruzarse ni por casualidad en tu camino, pues vas y te enfrentas al espejo y te echas un par de piropos; algo así como: «¡Vamos, niña, que tú vales mucho!, ¡guapa!, ¡resultona!, ¡maciza!», para terminar con un «¡Marta for president!». Y de verdad que sales del baño radiante, con una sonrisa de oreja a oreja. Vamos, como cuando tu madre se pone la mascarilla hidratante superguay que le deja la cara tan estirada que se le quedan las orejas a la altura del cogote.

Del supergrito al superinsulto

Cuando descubrí mi extraña capacidad inaudible, decidí explorar mi subconsciente en busca de otros superpoderes. ¡Porque los tengo, claro que los tengo! Como diría mi abu: «Hija, eres una cajita de sorpresas!». Entonces descubrí que, aparte de mi olfato infalible para lo detectivesco (mi nariz se mueve sin ton ni son cuando hay algo que me mosquea –y no me digas que eso no es tener un don–), también soy la reina del insulto. Porque yo construyo mis insultos con el mismo mimo con que mi abuela desmiga las sopas de pan. Te explico. Tengo un cuaderno con tapas verdes –que también le mangué a mi lelohermano–, donde voy apuntando las palabrejas más raras que encuentro. Vamos, ¿que veo *Pasapalabra* y aparece algo así como, testazón?; pues voy y lo apunto y luego, en cuanto alguien me empuja en el patio, me atropella por los pasillos o me pisa la zapatilla en clase de danza le suelto un «¡Testazón, más que testazón!», que lo dejo sin aliento. Claro que ser una insultona de tomo y lomo requiere entrenamiento. Me apunto a una sesión diaria de telediario, no pierdo ni ripio de las charlas de los políticos, escucho con atención a mi padre cuando habla con sus compañeros de bufete y a mi abu cuando habla con las vecinas. Y todo aquello que escucho que no entiendo, que no tiene ni pies ni cabeza y que suena requetebién, todo absolutamente todo, va a parar a mi cuaderno. Así que luego cuando me cabreo sorprendo al personal con insultos del tipo «¡Y tú, leguleyo, suintila, mascachapas, carajillo, zujaraje y ma!andrín!», que los dejan pal arrastre. Cuando sea mayor pienso escribir un libro: *Insultos a la carta. Sírvase usted mismo.*

Menú de
INSULTOS

Entrantes
Pava
Urraca
Vacaburra

Segundos
Zujaraje
Reptil
Mastuerzo

Postres
Zurrimurdi
Cenutrio
Ectoplasma

5. Mi ex

mi corazón hecho añicos!!!

2 de mayo

Ayer me llamó Marcos por teléfono. De pronto oí un bocinazo que venía del otro extremo de la casa: era la voz de Ignacio.

–Marta Bis, te llama tu novio, el vomitivo…

¡Quería morirme! Marcos me gusta un montón. Creo que yo también a él, pero después de lo de la vomitona me esquiva como si tuviese la varicela. Eso que antes de marearme intenté limpiarle la manga con la servilleta de envolver el bocadillo… Lo recuerdo como si fuese una película muda: yo, con la servilleta en una mano, llena de pegotones de Nocilla; Marcos con cara de pasmo, intentando que no le tocase…, y mis rodillas que se doblaban, y doblabbbannnnnn… Parecía que estaba bailando ballet. No recuerdo nada más, pero creo que le dejé la manga hecha una pasta repugnante.

–¡Martaaa! –volvió a gritar Ignacio.

Recorrí el pasillo en un segundo… –más que correr, volaba– y terminé espachurrada contra mi hermano, que sujetaba el teléfono en lo alto del brazo. Salté una y otra vez intentando cogerlo, pero mi mano apenas le sobrepasaba el hombro. No sé si te he dicho que Ignacio, además de listo y gracioso, tiene unos brazos larguííísiiimos.

Cuando, después de hacer mil piruetas, al fin logré atrapar el teléfono, Marcos ya había colgado. Me pillé tal cabreo que me volví hacia mi hermano con ojos asesinos. Quería arañarle, insultarle con los insultos más horrorosos, pero de mi boca solo salían unos ridículos: «¡Sapo partero! ¡Mercachifle! ¡Recesvinto! ¡Buganvilla!»… Y para mayor escarnio mis insultos casi no se oían por el volumen de sus carcajadas.

Ignacio, muerto de risa, me mantenía a distancia sujetándome por los hombros con sus enormes manazas. Yo pateaba cual escarabajo pelotero, abofeteaba el aire con ambas manos; hasta que al fin, inmovilizada por el muy bestia, di la lucha por perdida. Me eché a llorar de pura rabia… Lloraba con tanta pena, con tal congoja, que mi hermano, compungido por mis sollozos, al fin me soltó.

–¿Ya te has calmado, fiera? –me preguntó con su voz más melosa.

«Andá, si en el fondo esta rata inmunda tiene su corazoncito», me dije sorprendida por el descubrimiento. Asentí mansamente con la cabeza y, aprovechando que

YAAAAAA

Patada
voladora
ultra
letal

había aflojado la presión, le arreé tal patada en la espinilla que casi me rompo el pie.

Lanzó un aullido de dolor… seguido de un «¡Serás burra! ¡Si te cojo te vas a enterar!», antes de lanzarse a por mí como un auténtico kamikaze.

Me agaché. Hice un quiebro y logré esquivar su mano, que venía derechita hacia mi cara, empeñada en darme una guantada.

Y, justo cuando retiraba la cabeza hacia la izquierda, me topé con los ojos de Marcos, que me miraban atónitos desde la puerta del salón. Yo me quedé clavada en la puerta y él solo acertó a balbucear:

–Cuando se cortó el teléfono… Llamé nuevamente… Comunicaba… Y como estaba en la calle, decidí subir… La puerta estaba abierta…

¡Me vio, claro que me vio! Llegó justo en el momento en el que le estaba pegando a mi hermano como una salvaje.

Marcos, con los ojos casi en blanco, solo dijo dos palabras más:

Así perdí a mi primer novio.

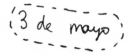

Hoy no quiero escribir. No estoy para nadie.

6. Tambores de guerra

Aunque me había prometido a mí misma no contarle a Cari lo de Marcos, hoy ya no he podido aguantar más.

–¿Que tu hermano le llamó «vomitivo»? ¿Que Marcos te vio atizarle? ¿Que te dijo «Marta Bis»?

Me asaeteaba a preguntas, sin darme ni la menor oportunidad de contestarle. La cara de Cari estaba tornasolada de pura indignación.

–Pues si fuese mi hermano, lo despellejaría vivo –ha sentenciado finalmente.

–¿Despellejarle vivo? ¡¡¡Suena bien!!! –he gritado entusiasmada, imaginándolo ya con atuendo arapahoe–. Aunque también podría afeitarle una raya horizontal en su súper flequillo… o tatuarle

Cortar el flequillo por la línea de puntos

¡VENGANZA!

51

una calavera en el cogote –he añadido, poniéndole un toque creativo. Cari y yo imaginábamos a Supernacho, con su súper flequillo atravesado por una especie de M-40… Rebobinábamos e imaginábamos a Supernacho jugando al baloncesto, con su calavera en medio del cogote. Lo hemos pasado genial.

Andábamos rompiéndonos la mollera con mi supervenganza, cuando, ¡riiingggggg!, ha sonado el teléfono.

–Corre, corre, Marta, que a lo mejor es él –me ha soltado Cari, como si yo necesitase que alguien me animase a coger el teléfono.

Me he lanzado en plancha a por el auricular, esperando que fuese Marcos y que mi hermano no estuviese en casa.

–Aló! –he contestado haciéndome la interesante.

–¿Cómo está mi sobrina preferida? –he oído al otro lado de la línea.

–No es él, es mi tío Ginés –le he dicho a Cari con gesto de fastidio.

–¿Tu tío?

–Sí, mi tío –le he contestado ya un poco harta de tanto fisgoneo.

–Pues sí, Marta, soy tu tío. Por cierto, tu único tío. ¿O es que has olvidado que tienes un tío que se llama Ginés? –mascullaba una voz metálica que salía del aparato.

–No, qué va, tío. ¿Cómo se me iba a olvidar? Por cierto, ¿dónde estás? –le he preguntado.

–Estoy en Almería, sobrina, pero ya me está recon-
comiendo el gusanillo del viaje, así que en cuanto haga
la mochila me voy para Madrid.

–Entonces, ¿llegarás mañana?

–No, hija, no. Hacer la mochila es todo un arte, y ya
sabes que a mí no me gustan las prisas. Así que la semana que viene estaré en Madrid. A ver si te encargas de
decirle a tu madre que voy; a la abuela, que su único
hijo va muy hambriento, y a tu padre…, bueno, a tu padre ni mu, ¡pequeñaja!

–Jopé, tío, ¿para hacer una mochila vas a tardar una
semana? –le he preguntado un tanto decepcionada.

–Las prisas no son buenas, sobrina… –ha añadido
mi tío–. Tú encárgate de cumplir mis recados… Ya sabes, a la abuela y a mamá, sí, pero a papá, no.

–Bueno, vale, tío, se lo diré y no se lo diré.

–¿Cómo? –han saltado a dúo mi tío y Cari.

–Bueno, pues que se lo diré a la abuela y a mamá, pero que no se lo diré a papá –les he aclarado.

–Vale, sobrina. Si es que eres una perla. Por cierto, morroña, ¿qué tal te van las cosas…?

–Pues ya ves. Aquí estoy. Tan sola como de costumbre –le he contestado poniendo mi acento más trágico.

Cari me miraba con cara de gusarapo.

–Sola, ¿eh? ¿Y yo qué…?

Le he puesto la mano en la boca, a ver si dejaba de darme la murga, mientras le contaba a mi tío todas mis tragedias.

–Veamos, señorita… ¿Qué le pasa ahora?… –ha insistido mi tío.

Y esa era precisamente la señal que yo esperaba para contarle todo de pe a pa. Porque yo soy muy mía, y para dos personas que me hacen caso en este mundo –es decir, mi abuela y mi tío–, pues no puede una desperdiciar la ocasión de llorarles todo lo llorable. Así que le he contado lo del cole, la pérdida de mi primer novio, y todo eso seguidito, seguidito, sin dejarle meter baza. Claro que en cuanto me he quedado callada para tomar un respiro –nunca me había dado cuenta de que respirar fuese tan importante– mi tío ha aprovechado la oportunidad para abrir la boca y me ha dado la réplica:

–Así que Ignacio está haciendo de las suyas… ¡Prepárate, sobrina, que tu tío va para allá! ¡Se va a enterar ese moscón! Si siempre lo he dicho, ¡es igualito que tu padre…! Y recuerda –ha añadido finalmente–, a tu padre, ni mu.

Cuando al fin he colgado el teléfono, todavía congestionada por mi conferencia tragicómica, he soltado un «¡bien!» a voz en grito, que ha puesto de los nervios a mi perra, que ha comenzado a ladrar cual posesa.

–¡Que te calles, birriosa! –le he ordenado yo muy firme. Y Baby me ha lanzado su mirada más despectiva y ha seguido ladrando hasta quedarse ronca. No, si entenderme me entiende, lo que pasa es que lo suyo no es la disciplina.

–¡Jo, Marta!, vaya rollo que le has soltado a tu tío. Ahora pensará que tú hermano lleva razón y que eres una ñoña –me ha soltado Cari, poniendo cara de asco.

–¡Ah, ¿sí? ¿Y por qué? –le he preguntado a la que desde aquel mismo momento estaba a punto de considerar mi ex amiga.

–Porque parece que necesitas la ayuda de tu tío para vengarte de tu hermano, como si tú solita no fueses capaz de darle un buen repaso. Como si fueses una doncellita cursi, de esas que escriben diarios.

¿Escribir un diario yo? Ahí sí que me ha tocado la fibra sensible.

–¿Qué te has creído, que soy una cursi como tú, que eres amiga de Patricia López? ¿Sabes lo que te digo, Caricotorrez? que desde este mismo momento pasas a formar parte de mi lista de ex amigas –le he soltado en plena cara.

–¿Caricotorrez, yo? ¡Marta Bis! –me ha soltado la muy bruja.

–¿Yo, Marta Bis…? ¡Y tú, foca monje…!

Tengo que reconocer que lo de foca monje no le ha sentado nada bien. Miss Cotorrez tiene cierta tendencia al bigotito, pero yo no había dicho nada del bigote. ¿Es o no es todo un detalle por mi parte? Pues aun así se ha ofendido como si le hubiese llamado «garrapata» o «chichinabo» o «zurrimurdi», mis insultos preferidos.

–¡El que se pica, ajos come! –le he soltado finalmente.

¡No te imaginas cómo se ha puesto! Con las mismas se ha dado la vuelta, ha pegado un portazo y se ha marchado a su casa sin decirme ni adiós…

–¡Pues que sepas que tienes bigote! –le he gritado a pleno pulmón, por el hueco de la escalera.

Carifoca ↓

7. Mi tío, el Artista

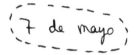

7 de mayo

El tío Ginés es hermano de mi madre, pero no se parece a ella lo que se dice nada. ¡Vamos, es como si hubiesen nacido en dos planetas diferentes! Qué digo en dos planetas: en dos universos distintos… Con él se puede hablar… Es simpático, divertido y, lo mejor de todo, ¡es aún más desordenado que yo! A él no le importa dejar los zapatos tirados en el salón, ni comer pipas y tirar las cáscaras a la alfombra. Vamos, igualito igualito que la plasta de mi madre, que se pasa todo el día dándome la matraca con: «Ordena ahora mismo los cajones, recoge esas toallas del suelo. ¡Ah!, y ese cuarto… ¡Y ordena de una vez esa mesa…!». ¡Pestes!

A veces le pregunto a la abuela: «Pero, abu, ¿cómo has podido tener dos hijos tan diferentes?». Y mi abuela sonríe… Claro, no va a decirme que ya sabe que mi madre es una plasta, porque es su hija. Pero yo sé que en el fondo mi tío es su ojito derecho. ¿Que cómo lo sé? Pues porque se nota. Mira, cuando el tío Ginés está en casa, la abuela nunca está en la cocina. Se olvida de las sopas de leche, no ve la televisión y se pasa las horas muertas

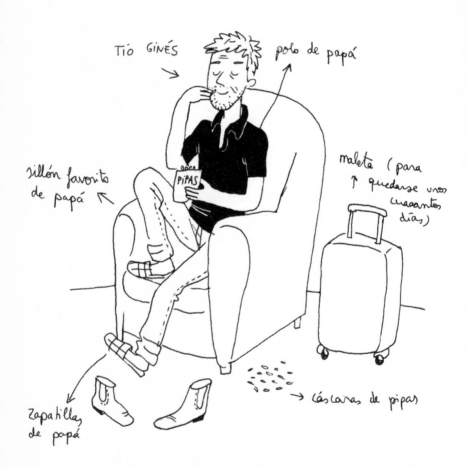

TÍO GINÉS

polo de papá

sillón favorito de papá

malета (para quedarse unos cuantos días)

Zapatillas de papá

cáscaras de pipas

¡ ay, el mar !

en el salón charla que te charla con su niño. «¡Abuela, que se te cae la baba!», suele chincharle mi hermano, y la abu responde: «Hijo, como le veo tan poco».

Y la verdad es que mi tío no viene mucho a Madrid. Es pintor y prefiere vivir cerca del mar. ¡Toma, y yo, y tengo que pasarme todo el año esperando a que llegue el mes de agosto! Pero él dice que la luz en la costa es diferente y que él la necesita para inspirarse y pintar. ¡Cosas de artistas! Eso sí, cuando viene a Madrid, pasa con nosotros largas temporadas, larguíííííísimas, según mi padre, que no le mira con muy buenos ojos. La relación entre mi padre y mi tío es, cómo diría yo…, un tanto especial. Entre ellos existe cierta corriente…, pero de alto voltaje. Quererse se quieren, pero de lejos. Y cuanto más lejos, mejor.

A mi padre lo que más le fastidia es que mi tío le diga que es un burgués, que no entiende a los artistas. «Soy un pintor bohemio, cuñado», suele decirle con sorna. A lo que mi padre contesta poniendo cara de rottweiler: «Pintor…, bohemio…, tú lo que eres es un vago de siete suelas». Y encima mi tío va y se ríe.

En las temporadas que el tío Ginés está en casa, mi padre se vuelve unicejo y tiene la mirada turbia. Decir no dice nada, pero se le entiende todo; sobre todo cuando Ginés se adueña de su armario, porque a mi tío le encanta compartir, especialmente lo que no es suyo. Así que cuando está en casa comparte cuarto con Ignacio y armario ropero con mi padre.

–Oye, Nacho, ¿no te importará que te coja un polo? –suele decirle cada mañana.

–Oye, cuñado, ¿no te importará que me ponga una camisa tuya…? ¿Verdad? –le suelta a media tarde.

Y a todo esto mi padre como si hubiese hecho voto de silencio. Eso que mi tío siempre elige su polo preferido, o su mejor camisa, igual que se adueña de su rinconcito preferido en el sofá. Solo en alguna ocasión a mi padre se le escapa algún «¡Artistas…!» que suena a maldición.

Pobre papá. Lo he estado pensando, y creo que voy a hacerle socio honorífico del Club Chíllese a Sí Mismo. ¡Se lo ha ganado!

Papá enfadado
(muy enfadado)

8. *Cursi* Vanesa

9 de mayo

Cari no me habla, Marcos me evita y mi tío no llega hasta la semana que viene… Ya solo me falta que Ignacio traiga a casa a miss Vanesa. Una ya no puede ni tener intimidad. Estás tan tranquila en casa viendo la tele, tumbada boca abajo en el sofá, y va tu hermano y se presenta con una desconocida que ni siquiera es de tu familia. ¿Que es su novieta? ¿Y qué?

Miss Vanesa es una rubia altísima, de mirada lánguida y pestañas kilométricas. Según mi hermano, está cañón, aunque mi madre opina que lleva una minifalda de escándalo. Mi padre, como siempre, es más comprensivo: no dice nada, y eso que se fija mucho.

La semana pasada, cuando miss Vane vino a casa, parecía Navidad, porque llegó cargada de regalos como si fuese Papá Noel. Trajo una caja de bombones para mi madre, un libro de golf para mi padre y una toquilla para la abuela. Solo faltaba que a mí me hubiese traído un novio (no, no estoy obsesionada: es que ya tengo trece años) y a Baby un hueso, rumié yo para mis adentros. Y de pronto, sin que yo misma supiese de dónde salía aquella voz que provenía del centro de mi garganta, solté:

–Esto es lo que se llama una maniobra de caza y captura del incauto.

Lo dije sin querer. ¡De verdad! Tan acostumbrada estoy a gritar para mis adentros que a veces, cuando creo que estoy hablando solo para mí, mi garganta, que es muy suya, se me rebela y va y suelta todos mis pensamientos a voz en grito.

Mi hermano se lo tomó fatal. Y ni te cuento mi madre, que se estaba poniendo bombiza de bombones.

Regalos de la pelota de Vanesa

Durante un segundo en mi casa reinó un silencio total. Mi madre, con las comisuras de los labios llenas de chocolate, me miraba con cara de odio; mi padre, perdido en combate, leía ensimismado su libro de golf, y mi abuela, aferrada a su toquilla, no me quitaba ojo, por si las moscas. Y va entonces la muy artera de Vane y me suelta:

Mira, lo siento, solo faltas tú, pero es que como no conozco tus gustos no sabía qué elegir. Y como ya eres mayor...

«Andá, la mosquita muerta, como si yo quisiera que me hubiese traído algo», me tragué para mí misma, muy a mi pesar. Así que haciendo ejercicios de contención, no fuese a decir otra vez a pleno pulmón todos mis pensamientos, rumié un «Esta tía es una trepa», seguido de «Y, además, una indecisa».

Y allí seguían todos callados, y la pavisosa de miss Vanesa en el centro de la habitación con su mejor sonrisa… y su minifalda más mini. Y no sé yo si por aquello de romper el hielo, va mi hermano y mete baza:

–Vanesa, no le hagas caso, ya sabes cómo es Marta Bis…

–¿«Marta Bis»? –preguntó la muy tonta. Debía de ser la única del cole que no conocía mi apodo. Así que Ignacio le contó toda la historia. Su historia.

–O sea, ¿que tiene doble personalidad…? ¡Marta Bis! ¡Qué bueno! Ignacio, eres genial –reía la muy insulsa.

Y no sé si fueron mis deseos de que el suelo se hundiese bajo sus pies, o las obras de los del sexto, que están dejando su casa como una lonja, el caso es que la lámpara del salón comenzó a temblar de una forma misteriosa, antes de salir disparada hacia la cocorota de mi hermano, que en ese mismo momento abrazaba de tapujo a miss Vanesa. Los dos acabaron abrazadísimos sobre la mesa camilla del salón, con cuarto y mitad de lámpara en la mismísima coronilla.

No me reí. ¡Lo juro! Incluso ayudé a buscar las tiritas.

¡Odio a esa cursi!

9. Para que te fíes del sexo masculino

¡GRRR!

(13 de mayo)

El tío Ginés no tiene palabra. Yo, esperándole toda una semana para que le eche un buen rapapolvo al innombrable. ¿Quién va a ser? Ignacio. Y él llega, nos hace la visita del médico: Mua, mua. Hola, hola. ¿Qué tal?, ¿qué tal? y ¡adiós!, ¡adiós!

Vino, claro que vino, pero llegó con su mochila y con una morenaza de esas que quitan el hipo. Dijo que la había conocido en el TALGO cuando venía hacia Madrid. Chiara, la morena en cuestión, era italiana y estaba en España de vacaciones. Y mi tío, un caballero y todo un patriota, había decidido enseñarle España comunidad por comunidad.

Llegó y se fue; pero como su tren no salía de nuevo hasta las siete de la tarde, a media mañana aparcó a la morena no sé dónde y se acercó a casa para almorzar.

Se puso lo que se dice moradito de lentejas, y de cala-
mares en su tinta, y de tarta de frambuesa… porque mi
abu, sabiendo que su niño querido iba a venir a casa,
se había tirado toda una semana cocinando como una
descosida.

patatitas pollo al ajillo pimientos rellenos croquetillas

–Mamá, pero si tenemos el frigorífico que va a reventar –le había dicho mi madre un par de veces esa semana, haciendo repaso de los platos que, numerados como los corredores de maratón, formaban fila en la nevera. Al número 1 de los pimientos rellenos le seguían con un 2 las patitas en salsa. Tras ellas venían las albóndigas, las croquetas, el pollo al ajillo…–. Claro que, como Ginés se coma la mitad de lo que has cocinado –siguió mi madre–, el que va reventar va a ser él.

Ginés, el seductor

Mi tío es lo que se dice un zalamero. Al principio nos tenía a todos cabreados. A mi abu, porque le había prometido el oro y el moro y luego la dejaba tirada por una desconocida que ni siquiera era producto nacional; a mi madre, porque le había asegurado que de este viaje no pasaba, que le iba a pintar ya de una vez el cuadro que le había prometido para su estudio. Sí, el mismo

que le había prometido también el año pasado, y el anterior y el otro. Y a mí, porque me tenía frita, porque cuando una confía en que su único tío va a ayudarle a darle una paliza a su hermano –metafóricamente hablando, se entiende, que para las otras yo me las apaño la mar de bien–, pues va y te falla como le falló la voz a Rosa de España. ¿Y qué haces entonces? ¿Reniegas de tu tío como si se tratase de un frasco de Nocilla?

Bueno, pues a lo que iba. Cuando estábamos todos de uñas, con ganas de tirarnos a su chepa y sopapearle de lo lindo, va y aparece con la mejor de sus sonrisas y con flores para mi abu, con bombones para mi madre –la bombiza–, y con un par de pendientes de plumas, largos como espindargos, para mí. Repartió besos, sonrisas, promesas y buenas palabras. Y nos dejó a todos tan contentos. Sobre todo a mi padre, que se puso como unas castañuelas cuando se enteró de que el tío se había ligado a una extranjera y se iba con ella al cabo Norte, o por ahí.

Según me contó mi padre, la comida fue todo un ejemplo de peloteo.

—Madre, estas lentejas están de muerte –le soltó a mi abu nada más meter la cuchara–. Es que nadie las prepara como tú, mamá», le aseguró con una sonrisa angelical.

Y mi abu se derretía al verle mojar pan.

–Por cierto, María –continuó el muy ladino–, es que no te he dicho lo guapa que estás –le soltó a mi madre con toda la cara del mundo.

Para mí

para abu

para mamá

Mirada de Acero

Creo que a mi padre también estuvo a punto de hacerle alguna gracia, pero cuando se encontró con su mirada de acero, decidió que era mejor pasarle de largo y dejarlo para otro día.

Aun así le largó un:

–Y bueno cuñado, tú como siempre –que hizo que el cuerpo de mi padre aumentase de inmediato tres grados de temperatura. Vamos, que estaba que echaba chispas.

Cuando llegué del cole, el tío aún estaba allí.

–Pero ¿dónde está mi sobrina favorita? Vamos, morroña, dame un abrazo.

Se lo di, pero sin mucho entusiasmo. Yo estaba, cómo te diría…, distante.

–Venga, sobrina, no te mosquees, que la próxima vez que venga me encargaré de ajustarle las cuentas a ese hermano tuyo –me dijo al oído–. Pero ahora, compréndelo, el amor es el amor.

–Sí, tío, pero habías prometido ayudarme –gimoteé yo en una última intentona de que abandonase a Chiara a su suerte.

¿Crees que lo conseguí? Pues te equivocas. Tal como llegó se fue, repartiendo besos, haciendo promesas, desesperando a mi padre, porque se llevó su mejor polo, y dejándonos a mi abuela y a mí hechas puré. Yo, además, me quedé un poquito cabizbaja, porque los pendientes, tipo plumero, con que me había obsequiado mi tío, me llegaban mismamente hasta la cintura.

«Una no puede confiar en los hombres», me dije a mí misma, haciendo un repaso de mi plantel familiar. Aquí solo se libra papá.

15 de mayo

Visto que el inconstante de mi tío está de gira por esas autonomías de Dios, me he puesto manos a la obra, dispuesta a dejarle a mi hermano bien claro que soy una enemiga peligrosa.

Llevo dos días dándole al cerebelo y no se me ocurre nada de nada.

–¿Qué puedo hacer para fastidiar a mi hermano? –le pregunto al viento.

–¿Es que no eres capaz de sacar de esa cabeza la idea más desalmada? –me inquiero a mí misma ante el espejo.

Nada, ¡ni flores! ¿Estaré perdiendo también la imaginación? Pues eso es lo que me faltaba por perder, porque en las últimas semanas he perdido mi nombre, medio estómago, a un novio y a mi mejor amiga. Definitivamente, debo de ser gafe.

Y de pronto, como siempre que tengo problemas, el nombre de Cari me ha venido a la mente. ¡Por algo es mi mejor amiga! Bueno, ya no, porque desde lo del bigote no me ha vuelto a hablar. Es más, ni siquiera me mira cuando nos cruzamos en el pasillo.

¿Y si me hiciera la encontradiza?

OBJETIVO: RECUPERAR A CARI

10. Las MEJORES amigas del mundo

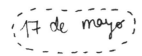

17 de mayo

He visto a Cari en el patio, me ha mirado y la he mirado… Ella se ha ido hacia una esquina y yo hacia la otra… Nos hemos vuelto a mirar… Al final, yo, que no soy nada rencorosa, me he acercado.

–¡Mira, Cari, te perdono por lo que me dijiste el otro día!

–¿Cómo que me perdonas? Te tendré que perdonar yo a ti –me ha dicho toda ofendida–. Tú me llamaste Caricotorrez y foca monje.

Le he dicho que lo de Caricotorrez era una broma, y lo de foca monje, una gracia. Y que además no tenía nada de bigote…

–¿Bigote yo? –se ha extrañado.

–¿Bigote? No, no, pegote. Que tú no te tiras el pegote –le he mentido…

Aunque ha puesto cara de no entender nada, me ha perdonado y he vuelto a inscribirla en mi lista de amigas. De buenas amigas.

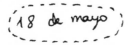

18 de mayo

He pasado la tarde en casa de Cari. Desde que hemos hecho las paces no nos separamos ni a sol ni a sombra.

Ella me va a ayudar a darle un buen repaso a mi hermano.

–¡Jo, Marta, si solo hay que pensar un poquito! ¡Seguro que se nos ocurre alguna maldad!

La verdad es que Cari pensando es única. Todavía me acuerdo de la que montó en clase de sociales, para fastidiar a la señorita Laura. Cari estaba de uñas porque le había suspendido la evaluación por un quítame allí esas pajas. Vamos, que el examen iba de ríos de África, y Cari, que de África sabe más bien poco, le escribió dos folios sobre el Ebro y sus afluentes. Y la profe, que carecía de sensibilidad, le cascó un insuficiente de no te menees.

RÍOS DE ÁFRICA

–Pero esto es una injusticia –clama-
ba Cari–. El tema iba de ríos... ¿No es
más normal que conozca los que tengo
cerca? ¡Si yo no he ido nunca a África!
–exclamaba casi llorosa.

Por más que insistió en el tema, la seño no la aprobó.
Y Cari, que además de ser mi amiga es muy vengativa,
decidió darle un susto de esos que no se olvidan con
facilidad. Así que pidió permiso para ir al baño para
reponerse del disgusto, y se fue directita a las duchas y
se dio un buen traguito de gel.

Volvió a clase pálida cual pared... y chorreando es-
pumilla por la boca. Pronto empezó a hipar y a hacer
pompas... Y como el gel era de fresa, le salían de la boca
unas pompas rojas que la seño pensó que eran sangre.

–¡Llamad al servicio médico! ¡Que venga el doctor! –gritaba la señorita Laura, con los nervios a flor de
piel–. Pero, hija, no hay que ponerse así por un suspen-
so. ¿Qué más da que no te sepas los ríos de África? En
el fondo, el Ebro es casi tan largo como el Nilo –insistía
la *teacher* desesperada, intentando que la enferma reac-
cionase.

¡Fue la bomba! Llamaron a su casa, a urgencias... Al
final, a la señorita Laura le dio un patatús. Dicen que
por la tensión.

Bueno, pues esa mismísima Cari, capaz de revolu-
cionar al colegio en pleno por un simple cate, me iba a
ayudar a vengarme de mi hermano.

–Tenemos que concentrarnos –me ha soltado Cari nada más llegar a su casa–. Y para eso nada como el yoga –ha seguido la muy mandona.

–Pero si en tu casa la que hace yoga es tu madre –le he replicado yo a la muy lianta.

–Oye, que yo he visto un vídeo y tengo mucha retentiva –me ha soltado con aplomo. Es muy fácil, solo es cuestión de coger la postura.

Nos hemos sentado en la alfombra de su cuarto, frente al espejo.

–Ahora, pon el pie derecho en la rodilla izquierda, y el izquierdo, en el hombro derecho –me indicaba–. A ver, esa mano –seguía Cari–. No, ahí, no. Junta el dedo índice y el pulgar…

Radiografía de
nuestros cerebros
maquinando

Ya casi había conseguido convertirme en un ocho humano, cuando han llamado al timbre.

–¿Cari, vas a abrir? –le he preguntado.

–Pues, claro, a lo mejor es algo importante.

Así que por un momento se ha olvidado de la geometría y ha recobrado su figura habitual, dejándome a mí en plena alfombra, convertida en un puzle con coleta.

–¡Pues, hala, vete a abrir la puerta! –le he gritado mientras intentaba desenganchar mi pie izquierdo de mi oreja derecha.

–¡Hola, buenas tardes! Vengo de Pizza Hut. ¿Es esta la casa de los señores Martín Mingarro?

–Pues sí –he oído que decía Cari, la muy carota.

–Les traigo la pizza familiar de cuatro quesos que habían pedido. ¡Ah!, y unas Coca-Cola y unas alitas de pollo con salsa picante.

–Pues mire, es que mis padres no están en casa…

–No te preocupes, tus padres pagan siempre al final de la semana.

He oído un portazo, un poco antes de que Cari apareciese cargada con dos bolsas de Pizza Hut.

–Para la concentración, nada como la alimentación –me ha soltado…

–¡Vaya morro! Como se enteren los Martín Mingarro…

–Bah, no te preocupes, son los vecinos de arriba. Cuando los padres están de viaje, Luisa y Jesús se ponen ciegos de pizza y a sus padres no les importa.

A pesar de mi oposición («Bueno, pues a mí no me parece bien… Yo creo que deberías subirles las pizzas… Oye, Cari, esto es como robar…»), hemos acabado con la pizza, con las alitas de pollo y con las Coca-Cola.

–Jopé, Cari, como me siga concentrando me voy a tener que ir a casa rodando –le he dicho, haciendo un esfuerzo para levantarme de la alfombra.

¡la prueba del delito!

11. La venganza se sirve *cruda*

→ NACHO

20 de mayo

No sé si ha funcionado lo de la concentración o ha sido el empacho de pizza, pero hoy, a la hora del recreo, una loncha de jamón me ha dado una idea genial...

Desde el día X –la palabra «vomitona» es tabú– ya no he vuelto a probar la Nocilla. Mi madre no termina de entender por qué antes me encantaba y ahora la odio, pero como cuando veo la Nocilla me entran mareos piensa que tengo una especie de alergia. Así que la Nocilla se ha acabado en mi vida. Ahora mis bocatas son de lo más variado: queso

Jamón mirón

y madalenas, pollo y plátano, sardinas con yogur... Aunque también hay días como hoy en que para almorzar me como un simple bocadillo de jamón...

Bueno, retiro lo de simple, porque este era un bocata en toda regla. Seguro que has oído hablar del jamón de York, del Ibérico, del jamón serrano, pero ¿habías oído hablar alguna vez del jamón mirón? ¿No?, pues escucha. Te juro que esta mañana, cuando he ido a darle el primer mordisco al bocadillo me he dado cuenta de que el jamón me miraba. «¿Cómo puede mirarte el jamón?», diría Cari.

Pues de verdad que me miraba fijamente... y entonces he tenido una especie de revelación: «Ignacio tiene un examen de matemáticas... y seguro que estudia en el despacho de tu padre», me decía una extraña voz. Y ha seguido cuchicheándome: «A Baby le encanta el jamón. Y tienes que hacer esto y esto otro y lo de más allí...». Así que he retirado el jamón del bocata –a ver quién se come algo que le da la charleta– y lo he guardado en el estuche de las pinturas. De pronto lo he comprendido todo: ¡había llegado la hora de mi venganza! Me he pasado el resto de la mañana mirando las manecillas del reloj. ¡Vamos, vamos! Las animaba a correr como si se tratasen de ciclistas a punto de llegar a la meta. ¿Que le hablo a las manecillas? Si a mí me da la charla un bocata de jamón, ¿por qué no voy a hablar yo con las manecillas del reloj? ¿No serás machista?

Estaba como loca porque acabasen las clases. Miraba la hora minuto a minuto en el reloj de la pared. En cuanto la aguja ha marcado las cuatro y media me he levantado como una bala y he salido corriendo hasta la puerta, donde la señorita Adela me ha hecho parar.

–¿Adónde va usted, jovencita? ¿Es que tiene prisa?

–Pero, señorita, si ya es la hora…

–Marta, de clase se sale cuando lo digo yo –me ha dicho la muy dominanta. Y ha añadido con gesto de gumia–: Todavía no ha tocado el timbre.

En ese mismo momento ha sonado un insistente

–¿Y ahora, ya me puedo ir, señorita Adela? –le he preguntado con sonrisa beatífica.

A su «sí», yo ya estaba tres pisos más abajo en la puerta de salida. He salido del cole como un rayo… Quería llegar a casa cuanto antes. ¡Se iba a enterar Ignacio! A partir de ahora ya me tomaría más en serio. ¡Se habían terminado las bromitas! Y el Marta Bis…

He llegado al rellano de mi casa, blanca y sudorosa como si hubiese corrido el maratón. Me he parado a respirar un segundo, no fuese a darme de narices con mi madre y empezase a soltarme la monserga... «Otra vez has venido corriendo... pero ¿cómo quieres que te lo diga, Marta, que ya eres una señorita?...». He entrado en casa sin hacer ruido para que nadie descubriese mi presencia. «¡Uf!», he respirado aliviada al ver que mi madre aún no había llegado y al descubrir que mi hermano ya estaba allí, porque la puerta del despacho de mi padre estaba entreabierta y ese cuarto es intocable: allí solo entran mi padre y el mastuerzo de mi hermano. Y como mi padre no llega hasta las 20.30 e Ignacio siempre llega a casa antes que yo, pues... deducción de Sherlock Holmes.

A mi hermano le encanta estudiar en el despacho de mi padre. Él dice que necesita una mesa grande para poder extender todos sus apuntes. Yo creo que intenta hacerse el mayor, el interesante... Pero cuando se lo digo se ríe y me dice: «Anda, niña, no seas tonta»... y me suelta un machucón en el mismísimo occipucio. ¡Y duele! Siempre le amenazo con un «¡Se lo voy a decir a papá!», pero nunca se lo digo, porque yo no soy una chivata. Te lo cuento a ti, para explayarme. ¿De qué me va a servir si no escribir un diario?

He atravesado el pasillo con pasitos cortos, «con andares de gnomo», diría Cari, y justo al llegar a la altura del despacho de mi padre he echado una ojeada rápida a su interior: Ignacio no estaba, pero allí estaban sus apuntes. Todo estaba lleno de papelajos… La mesa estaba cubierta de montones de hojas azules y blancas.

Tate. «¡Aquí está el señorito, con sus súper apuntes!», me he dicho. Así que, después de mirar cuidadosamente a todos lados, he entrado muy despacito en el despacho y he colocado el trozo de jamón debajo de un montoncito de papel azul. A continuación, y como si la cosa no fuera conmigo, he llamado a mi perra a voz en grito: «¡Baby!, ¡Baby, bonita, ven aquíííí!». Y Baby ha llegado en un segundo, brincando como una cabra. De pronto se ha parado en seco, como si el aroma del jamón le hubiese atizado de golpe en todo el morro, y un segundo después ha empezado a girar enloquecida en torno a la mesa. Olisqueaba aquí y allá, mientras movía el rabo a velocidad de vértigo. «¡Este jamón es de bellota!», parecía decirse la muy glotona. Y como con las cosas de comer Baby no tiene miramientos, se ha

abalanzado de un salto sobre la mesa y ha comenzado a husmear los papelajos.

En solo un instante ha dado con el jamón. Lo ha chupeteado… y rechupeteado… Se ha tumbado sobre los papeles, ha cogido uno de los extremos del jamón entre los dientes mientras sujetaba el otro con las patas. Ha tirado y tirado hasta que ha logrado partirlo. Al final, la mesa parecía un anuncio de *Titanic*: todo estaba patas arriba, papeles mojados, restos de jamón, pelos, babas…

–¡Biennn! –he respirado satisfecha. Y justo cuando estaba saboreando mi triunfo, ha sonado un portazo.

–¡Hola! ¿No hay nadie en casa? –he oído decir a alguien que tenía la misma voz que mi hermano.

«Pero si Ignacio sale del cole antes que yo –me he dicho–. Si cuando llego a casa él siempre está… Entonces, ¿de quién son todos esos papeles…?»

He salido disparada hacia la cocina en busca de mi abuela, y justo al cruzar la puerta del salón me he dado de narices con mi padre. Me han empezado a temblar las piernas… Me temblaban hasta las orejas.

–¡Hola, Marta! ¡Qué pronto has llegado hoy! ¡Has venido con Ignacio? Tenía baloncesto esta tarde…

–¿Y túúúúúú quééé haceees aquíííííí? –le he preguntado tartamudeando.

–Hoy he terminado antes y he decidido trabajar un poco en el despacho. Tenía pendiente la declaración de Hacienda. Al fin he puesto en orden todos los papeles…

–¿Papeeeles? –he balbuceado.

–Marta, no habrás tocado mi mesa, ¿verdad? –me ha preguntado mi padre, preocupado por mi creciente palidez.

No podía hablar. Mis labios parecían sellados con Superglue… Solo he podido decir muy bajito: «Creía que eran los apuntes de Ignacio».

Y entonces me he caído con todo el equipo.

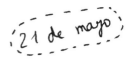

21 de mayo

Por primera vez en mi vida he visto a mi padre cabreado de verdad. ¿Cómo iba yo a saber que estaba haciendo la declaración de Hacienda?

Cuando entró en su despacho y vio la mesa, y aquella masa informe de papeles y babas, se quitó las gafas –«Mala señal», pensé–, se volvió hacia mí y me dijo:

–Marta, tenemos que hablar muy seriamente…

Cuando mi padre se pone serio yo me siento fatal. Mi padre sí que me quiere (no como mi madre, que prefiere a mi hermano, a pesar de lo que diga Cari). Me dice que se siente orgulloso de mí, que soy una chica lista, pero que

¡La culpa!

necesito confiar más en mí misma. Como si fuese tan fácil. Si tú fueses la pequeña, llevases unas gafas de culo de vaso y además tuvieses un hermano que saca sobresalientes en todo, mientras tú sacas sufis… a lo mejor tampoco estabas tan seguro…

Bueno, como te decía, mi padre estaba hecho una pantera. Imagina la escena: mi padre sentado muy estirado en su sillón, yo justo enfrente de la mesa en una silla de esas que tienen el respaldo decorado con figuritas que se te clavan en el riñón, y, en medio de los dos, el desastre… Baby seguía dando vueltas a la mesa; el olor a jamón babeado aún impregnaba el ambiente. Y la nariz de mi hermano, que intuía la tragedia, asomando por la puerta del despacho. De pronto mi padre ha mirado hacia la puerta y le ha dicho a mi hermano:

–Ignacio, fuera de aquí.

Y su nariz ha desaparecido ipso facto.

En cuanto la puerta se ha cerrado, me he lanzado a la chepa de mi padre y le he abrazado como nunca antes había abrazado a nadie.

–¡Perdóname, papi, creía que eran los papeles de Ignacio! Sabes que me llama Marta Bis, que dice que soy la niña de *El exorcista*… que todo el cole lo sabe… –Y he llorado amargamente.

La voz de mi padre me llegaba a través de una auténtica lluvia de lágrimas, mocos y gemidos:

–Marta, ya eres mayor. No puedes seguir con esa tonta idea de que en esta casa nadie te hace caso. Ni de que tu madre no te quiere, ni de que Ignacio te odia… Lo de hoy ha sido una auténtica estupidez. Has estropeado todo mi trabajo. Ahora tengo que empezar de nuevo. Afortunadamente, tenía guardados los originales de las facturas y de los comprobantes y lo que había encima de la mesa era un borrador de la declaración… Pero si en vez de eso hubiese sido algo irremplazable, ¿qué hubiese pasado entonces, eh?

Cuando mi padre razona, yo no sé qué decir. Me siento todavía más pequeña… Hemos hablado largo y tendido. Bueno, sobre todo él… Muy buenas palabras, mucho mira lo que te quiero, pero me ha castigado toda una semana…

Me fastidia no poder bajar al jardín, me requetechincha lo del ordenador, pero no poder ver la tele… ¡Eso es lo peor!

Claro que aún me queda el móvil.

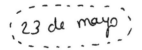

Algo se me tenía que ocurrir para que Ignacio no se fuese de rositas… Que sí, que ya sé que la culpa del salchucho la tengo yo, pero si no me fastidiase constantemente, yo no tendría por qué vengarme.

¿Y acaso no es él responsable de dejar los teléfonos de sus amigos apuntados en la pared de su cuarto?

Con mi móvil a cuestas y gracias a la voz de Germán, el hijo de Paco, el portero, me he dedicado a llamarle a todas horas. Germán y yo hemos hecho un trato: yo le he dado el teléfono de Cari –porque está muertecito por sus huesines– y él me ha prestado su voz para machacar a mi hermano con el móvil. Tengo toda una colección grabada de insultos para la posteridad. Le he llamado en plena clase de matemáticas, en el recreo, cuando ligaba con miss Vanesa, a la hora de la cena… justo cuando servían la sopa. Y la cantinela siempre ha sido la misma: «Asqueroso sapo partero. Vil traidor. Gurrumino, mascachapas, recesvinto».

Luego, yo solita, y con mi propia voz, he llamado a miss Vanesa y le he dicho que me perdonase, que sentía muchísimo mi comportamiento del otro día y que para desagraviarles había comprado unas entradas para que fueran el sábado al cine. ¡Con mi hermano, por supuesto! Y yo sabía que el sábado mi hermano había quedado con sus amigos en la sierra. ¡Lo sé porque le espío! Y ya puesta, he marcado el teléfono de Raúl, el más chulito de su clase… y ni corta ni perezosa le he soltado: «¡Hola, soy Marta, la hermana de Ignacio, sí, Ignacio Ortiz Baquero!», no fuese a confundirse con otro. Y luego le he preguntado a bocajarro: «¿Y tú eres el capullo del que habla mi hermano?». Y he colgado. ¡Veremos!

26 de mayo

Lo del sábado fue genial. Súper Vanesa llamó el viernes a Ignacio para ver a qué hora quedaban para ir al cine, y mi hermano, como un memo preguntó: «¿Conmigo? ¿Que yo te he invitado? Pero si me voy a la sierra con mis amigos». Y allí terminó su dulce historia de amor. Suerte que miss Vanesa, en su supercabreo, no le cascó a Nacho que la que la había llamado era yo. ¡Ah!, y también acerté con Raúl, a juzgar por el ojo semicerrado que luce mi hermano. Triunfo completo. Nacho 0, Marta 2.

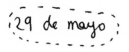

29 de mayo

La conjura del cretino

¡Mi hermano no sabe aguantar una broma! Pues anda cómo se ha puesto el muy energúmeno. Y yo que creía que no me había descubierto.

Estaba yo a lo mío, liada con el Messenger, mandándole un dibujo a una tal Circe que tiene un club de Harry Potter que no admite muggles, cuando entró mi hermano en mi cuarto hecho una furia. ¡Y entró sin llamar ni nada!

–A ver, doña rara, eh –se me encaró en un plan de lo más chulesco–. ¿Quién envió ciertas entradas a Vanesa, eh? –me soltó sin más contemplaciones…

Yo, ni que decir tiene, me hice la tonta.

–¿Qué entradas, ni qué rollo? Vamos, rico, que no tengo ni idea de qué me hablas.

Me miró enfurecido y aún acercó otro palmo más su nariz a mi cara.

–Mira, supercursi; mira, bobita, te vas a ganar un bofetón que te van a tener que recomponer la dentadura en Transilvania –me soltó el muy bestia–. Vamos, dime, ¿quién llamó por teléfono a Raúl el de mi clase y le dijo que yo creía que era un capullo, eh?

Y yo, impávida.

fuegooooo.!

–Así que empieza a largar, ya mismo. Vamos, vamos, vamos –me apremiaba, como si yo fuese una máquina de refrescos a punto de soltar uno.

Me quedé sin respiración. Me había pillado con todo el equipo. «¿Y ahora qué hago?», me pregunté. Tras echar una mirada rápida al reloj –solo eran las cinco y mi madre no llegaría hasta las siete–, opté por una salida desesperada. Eché a correr hacia el baño, me encerré con siete llaves y empecé a gritar por la ventana.

–¡Socorro! ¡Socorro! ¡Fuegooo!... Que alguien avise a los bomberos.

–¡Fuego, fuego! –se oyó por el jardín...

–Pero, Marta, ¿estás zumbada? –oí que gritaba mi hermano...

Los gritos de alarma corrieron de boca en boca y en solo ocho minutos los bomberos, con escalera incorporada, estaban en el jardín.

–El fuego, ¿dónde es el fuego? –se preguntaban como locos, al no encontrar ni rastro de llamas, ni de humo por la vecindad.

En cuanto vi que la cosa se liaba, salí del baño y me enfrenté a mi hermanito.

–Marta, esta vez sí que has metido la pata. Chica, estás como una cabra, pero de esta no te vas a librar. Ya verás cómo se pone mamá cuando se entere de que has llamado a los bomberos.

–Ah, ¿sí? Pues ya verás cómo se pone papá cuando le diga que me tuve que encerrar en el baño porque me querías dar una paliza y tuve que pedir socorro por la ventana.

Al final hicimos un pacto: él se callaría como un muerto y yo no diría ni palabra, y cuando nos preguntasen los bomberos si habíamos visto algún incendio por allí, los dos contestaríamos sorprendidos:

–¿Fuego? Pues no, no hemos visto nadaaa…

Los bomberos, al no encontrar ni una pizca de fuego, vamos, ni la llama de un mechero, se mosquearon de lo lindo.

–Oiga, llame ahora mismo al presidente de la comunidad –le dijo el que parecía el jefe a Paco, el portero.

Pillaron a Ramiro, el presidente, casi por casualidad, porque aquel día libraba en el trabajo. Creo que le echaron un chorreo de los de aúpa: que si los bomberos son un cuerpo de élite, que no están para perder el tiempo en tonterías, pero que desde luego la comunidad pagaría los gastos de desplazamiento. Así la próxima vez nadie se tomaría su trabajo en broma.

Ramiro, completamente abochornado, prometió investigar el tema y dar con el culpable, o la culpable.

Yo siempre negaré haber pedido socorro y mi hermano mentirá conmigo, por la cuenta que le trae.

12. Princesa por un día

2 de junio

Tenía que hablar con Cari en vivo y en directo y contarle todas mis desdichas, así que me planté en la puerta de su casa a las nueve de la mañana. Toqué el timbre: ¡rinnnggggggg! Y como si nada. Insistí. ¡Rinnnggg! ¡Riiinnnggggggg! Y puede que yo fuese un poquito plasta, pero aquel tío me soltó un «¿Quién es?» a un volumen y con un tono que comenzaron a temblar las rejas de las puertas de entrada. Al principio me quedé muda por la impresión, pero luego le contesté en plan gallito:

–Soy Marta –y lo dije así, sin más–: Soy Marta y punto.

–¿Y se puede saber qué quieres a las nueve de la mañana? –me contestó nuevamente aquella voz de ultratumba, que por cierto se parecía bastante a la del padre de Cari.

–Pues ¿qué voy a querer? Hablar con Cari –le respondí yo un tanto mosca.

–Pero bueno, niña, ¿es que tú no descansas ni los domingos? –oí a través del auricular.

¿Domingo? y ¡glup! Con la emoción de cotorrear con Cari, no había caído en la cuenta de que hoy era fiesta.

–Bueno, verá –traté de arreglarlo–, vengo a buscarla para ir a misa.

Tengo que reconocer que a medida que iban saliendo las palabras de mi boca, yo mismita me quedé impresionada por la frase, porque yo a misa no voy más que una vez al año: en Nochebuena. «¡Jopé, Marta!, pero ¿cómo se te ha ocurrido lo de la misa?», me dije a mí misma con aire de reproche. E inmediatamente me contesté: «¡Ya sabes, son cosas de Marta!». Andaba yo ahí toda liada, haciéndome preguntas y dándome respuestas, cuando de golpe el padre de Cari, el sieso, me abrió la puerta de entrada.

Subí en el ascensor intentando imaginar alguna disculpa creíble para que el padre de Cari no me largase todo un discurso sobre el sagrado descanso dominical –porque el padre de Cari es un supercursi–, pero, ¡oh, sorpresa!, cuando llegué al tercer piso con mi historieta perfectamente diseñada –iba a contarle que me había mandado una invitación el mismísimo coadjutor de la parroquia para que fuese a misa a las nueve en punto–, me lo encontré plantificado en mitad de la puerta lu-

ciendo su mejor sonrisa. Lo miré de reojo. Definitivamente, ese tipo era insensible con la creatividad ajena.
¡Con lo que a mí me había costado montarme aquella
película!

Me dejó pasar, sin gritarme ni nada, y hasta me dio
un par de palmaditas en la cabeza.

–Pasa, Marta, pasa, hija, no te quedes ahí después de
haberte dado este madrugón –me soltó muy sonriente
al verme cruzar la puerta–. Por cierto, me parece muy
buena idea que vayáis a misa a primera hora –añadió–.
Así empezaréis bien el día, porque ya sabes que «Al que
madruga, Dios le ayuda».

A puntito estuve de decirle que yo había madrugado
por las ganas que tenía de cotorrear con Cari, pero el
sieso me interrumpió:

–Mira, Marta, me parece tan buena idea, que creo
que también nos vamos a animar los Fernández-Ladreda y vamos a ir a misa todos juntos. Espera un poquito aquí, que voy a llamar a la familia –me indicó,
haciéndome señas para que me sentase en una buta-
quita al lado de la puerta.

El padre de Cari hablaba de la familia como si fuese
un capo siciliano y detrás de él fuesen a aparecer de inmediato una señora gorda, vestida de negro, con velo
y bigote, seguida por toda una caterva de mocosos de
todas las edades. Y eso que como familia numerosa era
bastante birriosa, porque al fin y al cabo ¿qué son tres
hijos para una familia numerosa que se precie?

De pronto caí de mi guindo particular y vi que el padre de Cari me miraba como esperando una respuesta. Solo tuve tiempo de soltar un apresurado:

–No, pero si yo no quiero molestar. Si a mí me gusta ir a misa con Cari, porque somos amigas –mientras pensaba: «¡Qué familia tan rollo! Mira que querer ir a todos los sitios juntos… ¿También irán a hacer pis en comandita?».

La familia Fernández - Ladreda

No me sirvieron de nada las excusas. En menos que canta un gallo la familia Fernández-Ladreda al completo estaba preparada en el rellano de la escalera con ropa de domingo. Cari fue la última en aparecer y me miraba con ojos de rana.

–Ya me dirás a qué viene eso de la misa –me cuchicheó al oído–. Pero si tú solo vas a misa en Navidad… Y eso por acompañar a tu abuela.

–Calla, tonta, que ha sido para contentar a tu padre. Ahora nos ponemos en la parte de atrás de la iglesia y cotorreamos todo el rato –le dije yo, ignorante de mi destino.

Cari me miró con cara de incredulidad y me pareció atisbarle cierta sonrisita. Aquello no empezaba bien, me dije. Y lo que mal empieza…, pues eso.

Y no, no es que yo sea adivina, pero diez minutos después me sentaba en la iglesia, en un banco de la primera fila, emparedada entre los hermanos de Cari. A la izquierda tenía a Pancho; a la derecha, a Clemente; a mi espalda, una especie de monstruo con lazos que me tiraba del pelo cada vez que me sentaba. Y enfrente, al cura… que me miraba por el rabillo del ojo. Cari estaba en el otro extremo del banco, junto a su madre: «¿Así que íbamos a hablar, eh?», me dijo por señas, lanzándome una mirada asesina.

No podía hablar, ni moverme. Estaba materialmente incrustada entre aquellos dos armarios roperos, inten-

tando seguir el ritmo y bailando una danza imposible; porque todos se movían al unísono, todos menos yo. Por más que vigilaba con ojos de águila a Clemente intentando reproducir todos sus movimientos, no daba ni una. Cuando ellos se sentaban, yo me ponía de pie; cuando me sentaba yo, ellos se arrodillaban. Sin avisar, ni nada. Y cuando yo intentaba pillarlos y me ponía de pie de golpe, entonces ellos se sentaban, y vuelta a empezar.

Estaba cavilando yo sobre lo indecisos que son los adultos, cuando de pronto el cura se lanzó a improvisar gorgoritos. Y siguiendo su ejemplo, todos cantaron con él. ¡Hombre, eso estaba bien! Aquello parecía una gala de Operación Triunfo, así que, decidida a no quedarme sin plaza en el concurso, comencé a abrir y cerrar la boca a ritmo de karaoke. Al principio empecé un poco tímida, por no dar la nota, pero al final movía la boca con tal entusiasmo que el cura dejó de mirarme con cara de pena y comenzó a sonreírme, a animarme moviendo los brazos arriba y aba-

¡Yo, como los de OT!

jo. Canté y canté hasta desgañitarme, porque aunque no me sabía la letra, yo tengo muy buen oído y enseguida pillé la melodía.

Estaba yo tan ufana con mi improvisación sonora, cuando va Clemente y me da la mano. Se la estreché porque soy muy educada, pero ya le dije:

—No seas cursi, Clemente. Vamos a empezar ahora con presentaciones… ¡Pero si te conozco de toda la vida!

A Clemente le dio la risa. Yo no sabía muy bien de qué se reía, pero me daba igual. Si él estaba contento, yo también. Contagiado por nuestras carcajadas, Pancho se echó a reír, mientras Cari, desde el otro extremo del banco, hacía movimientos raros con los brazos como para que le explicásemos de qué nos reíamos. Cuanto más movía los brazos Cari, más nos reíamos los demás. Las carcajadas fueron subiendo de tono y en unos pocos minutos una gran parte del primer banco se desternillaba vivo.

¡Chist! ¡Chist! Se oía por todos lados. Los padres de Cari nos miraban con cara de estupor, mientras los vecinos del banco de atrás pedían silencio y la monstrua con lazos se colgaba literalmente de mi coleta.

Cuando al fin el cura dijo: «Podéis ir en paz», solo me miraba a mí. Y mira, eso sí que lo entendí perfectamente. Con las mismas, salí disparada hacia la puerta, atropellando a Clemente y pasando sobre los pies del padre de Cari. Aún seguía yo pidiéndole mil disculpas

al sieso, cuando llegué a la altura de la madre de Cari que en ese mismo momento salía del banco, camino de la salida. Agarré a Cari de un brazo y la arrastré hacia la puerta a toda velocidad.

–¡Jo, qué ilusión volver a ver la luz del sol! –solté a voz en grito al llegar a la calle.

–¡Cállate, Marta, que te van a oír mis padres! Pero ¿cómo se te ocurre decirle a mi padre lo de misa? Si tú no vas a misa desde el año catapún.

–Si no tuvieses una familia tan meapilas… –le respondí yo, muy chulita–. Cuando llamé a tu casa, tu padre me contestó con voz de funeral… Y solté lo primero que se me ocurrió. Y ya sabes que a veces mis ideas van por libre.

–Pues vaya ideíta la tuya, rica –me soltó muerta de risa–. ¡A ver si practicas un poco más lo de arriba y abajo, porque vaya número que has montado!

–Solo me falta un poquito de práctica. Con unas misas más lo haría tan bien como tú –le contesté yo un pelín ofendida.

Y es que en mi casa pueden ser muy burgueses, como dice mi tío Ginés, pero religiosos, lo que se dice religiosos, no son. Algunas veces mi abuela se mosquea porque no vamos a la iglesia, y entonces mi padre le suelta:

–Mira, María, ya pasé catorce años en un colegio de curas y creo que con eso cubrí el cupo.

Entonces la abuela se calla, porque sabe que en cuanto se toca el tema de la misa, mi padre se pone cerrojo y no da su brazo a torcer.

Solo una vez la abuela se puso terca. Fue el día en el que yo anuncié que quería hacer la Primera Comunión.

–Pero ¡niña! ¿Cómo vas a comulgar si no estás bautizada? –me soltó mi madre, sin la menor consideración con mi temprana edad.

–Pues yo quiero llevar un traje largo y corona y hacer una fiesta e invitar a todos mis amigos. Como hacen los de mi clase –insistí yo erre que erre.

Y mi abuela me apoyó:

–Es que una cosa es ser moderno y otra pasarse –refunfuñó mi abu, mirando a mis padres con cara de modorra. Porque mi abuela insistía en que eso de no ir a misa solo era cosa de progres. A veces, a la abuela se le pega el lenguaje del tío Ginés.

Oye, pues ni por esas. Se empeñaron en que cuando yo fuera mayor si quería podía bautizarme, comulgar o hacerme socia del Atlético de Madrid, pero que eso tenía que ser una decisión mía, cuando tuviese raciocinio.

–¿Yo? ¿Yo, <u>raciocinio</u>? –le grité a mi madre muy ofendida, pensando que aquella palabreja debía de ser algo parecido al sarampión.

→ Yo, de pequeña, muy cabreada

Agarré una pataleta de órdago. Lloré como los sauces, aguanté la respiración hasta ponerme verde, vomité en el ficus del salón, hasta que al fin mis padres decidieron organizar una fiesta en casa para todos mis amigos. ¡Ah!, y comprarme un traje. Por que a mí lo de comulgar me daba igual: lo que yo quería era vestirme de princesa.

Me compraron un traje rosa con tules, y mi abuela me dejó un collar para que me lo pusiera de corona. Ese día hasta me quité las gafas, porque las princesas no van por ahí con las gafas puestas. ¿Llevarán lentillas? ¿O es que también tienen la suerte, además de ser princesas, de no tener dioptrías?

Bueno, el caso es que yo, como soy muy agradecida, decidí desde aquel día acompañar a mi abu cada año a la misa del Gallo, por solidaridad, porque sé que le gusta y para darle en las narices a mi madre. Y como comprenderás, con esa experiencia, yo no soy la persona más adecuada para invitarla a misa y quedar como una reina, porque solo he llegado a ser princesa.

13. Los *ojos* de Ka

4 de junio

Mi hermano está suave como un guante, y yo tan encantadora como Ka, la serpiente de *El libro de la selva*. No hemos vuelto a decir ni una palabra sobre el tema del fuego, y la palabra «bomberos» ha desaparecido de nuestro vocabulario. Cuando nos cruzamos por el pasillo él me sonríe y yo le acribillo con mi mirada. «No irás a chivarte, ¿verdad, chaval?», le pregunto por lo bajini cada vez que le veo. Y es que Nacho, aunque tiene cara de bobito, no es de fiar. ¡Si lo sabré yo!

6 de junio

Estoy hasta la coronilla de libros. Tras semanas de castigos, encierros, líos –no pienso volver a hablar nunca más de incendios; ni siquiera puedo ya usar el móvil (hice un pacto con Nacho a cambio de su silencio sepulcral)–, solo me quedaba una salida: estudiar. Me voy a convertir en una empollona cualquiera. Ya, por saber, hasta me sé los verbos irregulares de inglés.

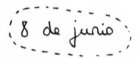

8 de junio

Mi madre, que es más bien brusca, me ha soltado así a bocajarro:

–Oye, Marta, ¿el otro día no llamarías tú a los bomberos?

–¿Yooooooo? –le he respondido, poniendo mi mirada más noble e intentando atravesar a mi hermano con mis ojos en forma de puñal.

Ante los aspavientos que hacía mi hermano con ambas manos he comprendido que él no había sido el chivato, así que, ya más tranquila, he seguido fingiendo:

–¿Cómo voy a llamar yo a los bomberos, mamá? Pero ¿tú has visto fuego en casa por alguna parte?

–Ya le he dicho yo a Paco que tú no podías haber sido, pero por lo visto alguna vecina le ha comentado que la voz que había gritado pidiendo socorro se parecía mucho a la tuya.

–No, si eso es lo más fácil. Las chicas siempre tenemos la culpa de todo –le he soltado yo, poniendo cara de tristeza.

Mi madre me ha creído o se ha dado por vencida.

¿Iré al infierno de cabeza por mentirosa?

10 de junio

Con eso del fuego, de los bomberos y de las mentiras, me he pasado toda la noche dando alaridos cual posesa y tratando de apagar un incendio tras otro. Las llamas subían por la escalera de casa, y Carlota, don Pío, mi madre y Ramiro pedían auxilio desde las ventanas. ¡Y era todo tan real! Yo, acongojada y muerta de miedo, llamaba sin parar a los bomberos:

–¡Por favor, por favor, vengan rápido que hay un incendio en mi casa!

Pero los bomberos me daban largas:

–¿Un incendio? ¿En qué dirección?

Yo les decía:

–En Saltos del Jalón, 44.

–Así que en Saltos del Jalón… ¿eh? ¿Y qué número ha dicho… el 44? –Se oían risitas–. Bueno, bueno, pues ya iremos por allí un año de estos.

Yo gritaba desesperada:

–Que esta vez es verdad. Por favor, por favor, vengan, que hay fuego en todos los pisos.

–¿Así que esta vez es verdad? O sea que la otra era mentira…

Cuando me despertó mi madre para ir al cole, yo todavía estaba luchando a brazo partido con las llamas. Sudaba, tosía… Me aferré a mi madre como una lapa.

–Jo, mamá, vaya fuego –le dije.

–¿Fuego? –me respondió con voz de sorpresa…

Solo entonces comprendí que aquello no había sido nada más que un sueño.

Cuando pille a mi conciencia se va a enterar.

14. Un fin de curso de traca

codos inflamados de tanto estudiar

15 de junio

¡Ya solo quedan diez días de curso y estoy preparada para enfrentarme a los exámenes finales! Quiero darle una sorpresa a mi padre, ser la mejor de mi clase, sacar notables, sobresalientes… (bueno, eso es pasarse; vamos a dejarlo en notables), para que se sienta orgulloso de mí. Me sé las ciencias sociales, la lengua, el inglés, e incluso me sé de carrerilla los afluentes del Ebro. Se me está poniendo cara de enciclopedia.

16 de junio

Hoy ha salido el sol. Es buena señal. Me he levantado de la cama de un brinco, pero cuando todavía flotaba por el aire, sin llegar a apoyar el primer pie en tierra, he notado un ligero malestar… ¡Jo, cómo me pesa la cabeza! ¿Mi cabeza? ¿Me habrá aumentado el tamaño del cerebro por la noche?... Dispuesta a comprobar si mi coco seguía en su lugar, me he ido directa al baño para echarme una ojeada en el espejo. Me he aproximado al lavabo y me he mirado atentamente; cosa rara en mí: nunca me miro mucho rato porque lo primero que veo es mi aparato corrector y... ¡oh, sorpresa! Mi cara estaba salpicada de ronchones rojos a modo de lunares y mis ojos rojos e hinchados parecían dos puñaladas en un tomate.

Mi madre lo ha sabido a simple vista: «¡Tienes el sarampión!».

Tengo cuarenta de fiebre, siento temblores, y el médico –el carro de la alegría– me ha pronosticado siete días en la cama... ¡Y exámenes en septiembre!, porque a pesar de los esfuerzos de mi madre, el director del cole, don Narciso, no me deja examinarme en junio. ¡Ese viejo chivo!

Es una enfermedad infecciosa, y las normas son las normas.

–le ha comentado a mi madre por teléfono.

En un segundo han pasado por mi mente mil maldiciones: «¡Ojalá suspenda las matemáticas su hija! ¡Se quede sin gasolina en Goya un sábado por la tarde! ¡Y le operen de cataratas!». Y lo digo así, Cataratas, con la boca bien abierta. Nunca he entendido muy bien cómo pueden operarle a uno de cataratas. Siempre pienso en las cataratas del Niágara y me imagino al cirujano con traje de buzo.

Me quedé adormilada hecha un ovillo y soñé un sueño imposible. Me vi saltando el plinto haciendo un triple tirabuzón… Marcos, Cari y mi hermano me aplaudían a rabiar y allí en segunda fila estaba… y me desperté.

Me estiraba en plena modorra febril, con el pelo revuelto como una escarola, cuando un repiqueteo en la puerta me ha despertado de golpe: «¡Martaaa…! ¡Martiiitaaa!». ¿Era esa la voz de mi hermano? Allí estaba en medio de la puerta de mi cuarto junto a Diego. «¡Oh, no! –pensé–; Diego no…» Después de Marcos e Iker Casillas, Diego era el chico que más me gustaba del mundo… ¡Era amigo de mi hermano y aun así se lo perdonaba!

–¡Hola, Marta!

–¡Bufff! ¡Arrrggg! ¡Brrrrrrm! –les he respondido, en pleno ataque de nervios.

–¿Cómo estás, Marta? –me ha dicho Diego mientras me daba una palmadita en la cabeza.

¡Una palmadita, como si fuese una niña! Me voy a morir de vergüenza… Pero en vez de morirme me he puesto roja hasta las orejas, mientras mi garganta solo era capaz de articular sonidos estruendosos del tipo «¡Bufff!», «¡Arrrggg!», «¡Brrrrrrm!». Mi hermano se reía con risa de conejo y Diego me miraba con cara de pánico. No entendía nada. Ni yo. ¿Adónde habían ido a parar mi vocabulario y mi don de gentes?

Me he sumergido entre las sábanas, tratando de que el color de mis mejillas, rojo como la amapola, pareciese el resultado de la fiebre… Al fin he oído un adiós y el ruido seco al cerrar la puerta. «¡Oh!, también Diego», he exclamado.

Con solo trece años acabo de perder a mi posible segundo novio. ¡Vaya forma de empezar las vacaciones de verano!

¡Y yo con estos pelos!

15. Llegan las vacaciones

3 de julio

Visto que mi vida amorosa es un desastre, he decidido concentrarme en las vacaciones.

No sé cuándo nos vamos a ir a la playa. Mi madre zascandilea de aquí para allá. Mi padre dice que tienen mucho trabajo y mi abuela ha abandonado sus sopas de leche por su casa en el pueblo. ¡Me aburro! Estamos en plena calma chicha. Hasta mi hermano parece relajado.

¡Jo! ¿Por qué no tendré una hermana? Cuando tenía cinco años, imaginaba que tenía dos hermanas mayores: Lola, de diez años, y Ana, de quince… Jugábamos a las muñecas, me contaban cuentos, me llevaban al parque. Era tan real, que un día en la clase me preguntaron cuántos hermanos éramos y dije tan pancha: «Somos cuatro, tres chicas y un chico». «¿Cuatro hermanos?

—me preguntó la profe–, pero… si solo sois dos… Conozco a tus padres y he estado en tu casa.»

«Tengo dos hermanas mayores, Ana, de quince años, y otra de diez, que se llama Lola. Y si no las conoces, es porque viven con su padre», le contesté muy enfadada.

Vi que la profe me miraba extrañada, mientras murmuraba: «¿Con su padre…?».

Aquella misma tarde, cuando mi madre vino a recogerme, Elvira, que así se llamaba aquella profe cotilla, le preguntó:

—María, ¿puedo hablar contigo, por favor?

—Dime, ¿qué pasa? –le preguntó mi madre, pensando que iba a contarle mi último salchucho…

—Oye, María, además de Ignacio y Marta, ¿tienes más hijos?

—¿Más hijos? –respondió mi madre, un tanto extrañada–. ¡Pues no…!

—¿O sea que no tienes más hijas? –insistió la profe.

Y entonces mi madre, que es una auténtica raspa, aunque a veces parezca tan educadita, se la quedó mirando y le contestó:

—¿No te parece que eso es una impertinencia? ¿A ti qué te importa los hijos que yo tenga o deje de tener? ¿Esto qué es?, ¿una escuela infantil o una sala de interrogatorios…?

—Perdona, perdona, perdona –decía la profe–. María, déjame que te explique. –Y entonces le contó a mi madre que yo decía que tenía dos hermanas, que si esto, que si aquello.

Yo miraba la cara de mi madre, que se iba poniendo gris. De pronto se volvió y me llamó:

—Marta, cariño, ven. Me dice la señorita Elvira que le has dicho que tienes dos hermanas mayores.

—Claro —le repliqué yo muy seria—, Lola y Ana, las hijas de tu otro marido... —Y me fui corriendo al columpio.

–¿Quééé? –la oí gritar.

En el camino de vuelta a casa, mi madre puso la música muy alta. Eso lo hace siempre que no sabe qué decir, o cuando no quiere hablar conmigo… ¡Si no la conoceré yo!

Aquella tarde en mi casa todo fue silencio. Mi madre me esquivaba por los pasillos. Me miraba de reojo.

Cuando llegó mi padre a casa por la noche, oí cómo mi madre se lo contaba todo:

–Así que yo veía que Elvira me miraba como diciendo: «Anda, mira esta mosquita muerta… Qué calladito se lo tenía…».

Mi padre se reía sin parar.

–¡Qué imaginación tiene esta chiquilla! Como siga así, de mayor se dedicará a la política.

¿A la política? Nunca hasta entonces había escuchado yo un insulto así. Pero desde entonces decidí incorporarlo a mi vocabulario, y cuando me enfadaba con alguien en clase, ni corta ni perezosa, le gritaba: político, más que político.

Ahora que lo pienso, en la escuela infantil también tenía fama de rarita. ¡Qué mundo más cruel!

16. A veces parezco invisible

Por más que me empeño en saber cuándo nos vamos de vacaciones, no consigo que nadie me escuche. Voy por los pasillos como si fuese un fantasma. Floto por el salón, me balanceo por la cocina, paso a través de la puerta de mi cuarto… Y tooodooos pasan a mi lado sin verme. Cuando le pregunto a mi madre: «Mamá…, ¿cuándo nos vamos a la playa?», mi madre continúa andando como si no me hubiese oído. ¿De verdad me habré vuelto transparente? ¡Ya no me escucha ni mi padre! Cuando llega por la noche, se sienta en su sillón, y cuando me acurruco a su lado y le pregunto: «Papi, ¿cuándo nos vamos a ir este año de vacaciones?», me contesta con un estruendoso ronquido.

← Me aburro como una ostra. Cari está en Irlanda. Sus padres la han man-

117

dado el mes de julio a Cork para que aprenda inglés… Lleva allí casi diez días y, según me ha contado su hermano Pancho, ya es casi bilingüe… Sabe decir: «Yes», «I want tortilla de patatas»… y «Sorry»; vamos, que sabe lo mismo que sabía cuando se fue. Pero eso a Cari no le preocupa; dice que con decir «sorry» todo el rato la cosa está arreglada. «Así la gente cree que eres educada, pero tímida.»

«La culpa de que tenga que ir a Irlanda la tiene la boba de Patricia López», me contó Cari cuando fui a despedirla al aeropuerto. Ya te había dicho yo que Patricia es más tonta que una oveja boba, ¿no? «Vino una tarde a casa a pedirme el libro *El Cáliz de Fuego* –siguió Cari– y acabó hablando con mi madre de la última evaluación de inglés…» «¡Esa repelente…!» Y Cari, que cuando coge la palabra no hay quien se la quite,

siguió parloteando: «Con esa vocecita de princesita de Disney, Patricia empezó a contarle a mi madre lo bien que le iban los estudios y lo bien que hablaba inglés, claro que era normal porque pasaba todos los meses de julio en Irlanda. Y tuvo muy buena puntería, porque precisamente yo había suspendido esa evaluación. Mientras Patricia hablaba y hablaba –continuó cotorreando Cari–, yo veía sonreír a mi madre con cara de circunstancias. Y cuando a mi madre algo le ronda la cabeza, se le pueden ver los pensamientos a través del flequillo –prosiguió–. Y yo leía en su flequillo: Irlanda, Irlanda, Irlanda… Y aquí me tienes, camino de Cork. ¡Pero se van a fastidiar, porque no pienso aprender inglés!», afirmó Cari con rotundidad.

Así que como Cari está en las chimbambas y Marcos casi no me habla… Ya no tengo amigos en el mundo, bueno, al menos no tengo amigos en la península Ibérica.

8 de julio

De las vacaciones, nada de nada.

Aburrida cual ostra tuerta, he puesto la tele dispuesta a darme un atracón de telecomedias, hacer las paces con Marcos, vía telemando, o votar a Federico de Operación Triunfo… Porque desde que mi abuela se fue al pueblo me he convertido en la dueña absoluta de la tele de la cocina y he puesto un cartel en la pantalla para alejar a los mirones:

Supongo que el cartel funcionará. A mi madre le funciona. Cuando no quiere seguir hablando, siempre dice: «y punto». Lo de «y punto» debe de ser la versión española de «the end».

Como el televisor ahora es mío y solo mío, lo enciendo y cambio de cadena todo cuanto quiero. ¡Me encanta hacer zapping! ¡Es tan divertido! Vas y pones la 1: «Elena lava más blanco». Cambias a La 2: «Te quiero, Elizabeth, te quiero como…». Telemadrid: «El oso pardo de Picos de Europa». Vuelves a darle al mando. Antena 3: «¿Quiere perder peso? Consulte a la clínica de estética Bobybody». Tele 5: «¡Oh, Manolo, de *Gran Hermano*!». Nuevamente a La Primera: «Lava más blanco…».

Resultado final: Elena, que es limpia donde las haya, quiere a Elizabeth, tanto al menos como al oso pardo de Picos de Europa, que cuando quiere perder peso consulta a la clínica de estética Bobybody, o a Manolo, de *Gran Hermano*, que es el que lava más blanco.

¡El oso que lava más limpio!

DETERGENTE

Andaba yo dándole al mando como una descosida, cuando un fogonazo iluminó la pantalla: «¡No se deje deslumbrar por todo lo que vea! –decía el anuncio–. La verdad, a veces, es impenetrable… No confíe su destino a un extraño. Consulte con nuestros asesores, le resolverán sus dudas. Jiménez y Cía. Investigadores Privados».

Me limpié bien las gafas, acerqué mi silla a la pantalla para no perderme ningún detalle y, justo en el momento en que el

Jiménez & Cía
INVESTIGADORES PRIVADOS

tal Jiménez impartía un cursillo acelerado de supervivencia en la gran ciudad, sonó el teléfono de la cocina… Era mi padre. Preguntaba por mi madre:

–¡Hola, cariño! ¿No sabes a qué hora llegará hoy mamá?

–¿Cuándo has dicho que nos vamos de vacaciones? –le respondí.

–Hija, quiero hablar con tu madre…

–¡Qué bien, vamos a ir a la playa! –proseguí.

–Marta, ¿estás bien? Hija… –oí a mi padre al otro lado del teléfono.

–No, señor, se ha confundido de número.

¡Papá, invisible para mí! J.²

Y colgué. He decidido ser invisible reversible. A partir de ahora, los demás también van a ser invisibles e inaudibles para mí.

Volví a concentrarme en la pantalla. ¡Qué pena, me había perdido el cursillo! Ahora le tocaba el turno a un señor calvo. «Este será Cía», me dije. Contestaba a una llamada telefónica. «Hay que ser prudente –decía–. Cierre siempre la puerta con llave. –E hizo una pausa mirando a cámara, como si estuviese dispuesto a impartir allí mismo un máster en cerrajería–. No deje pasar a los desconocidos y observe a sus nuevos vecinos», añadió. ¿Nuevos vecinos? Pegué un brinco en la silla. Pero si acaban de mudarse los del 4.º A. ¿Los del 4.º A? ¿Los del 4.º A? Trataba de ejercitar mi memoria para que me enviase imágenes de los recién llegados. Lo vi en una revista. Para rescatar imágenes escondidas en la memoria, lo primero que hay que hacer es cerrar los ojos, levantar las manos y concentrarse en lo que uno quiere. Pero mi memoria debía de estar de excursión aquel día, porque por más que levanté los brazos y cerré los ojos, a mi cabeza no vino ninguna imagen.

Bueno, sí, tras unos segundos, vi la cara de mi profe de inglés. Y entonces recordé que ya lo había intentado antes. Claro, lo intenté en el examen de la segunda evaluación, pero por lo visto no me había concentrado suficiente. O eso debió de pensar mi *teacher*. Volví a ver al profe de inglés. «¡Funciona! –grité entusiasmada–. ¡Pero funciona con efecto retroactivo!»

Sorprendida por mi nuevo descubrimiento memorístico, decidí darle un descanso a mi cerebro y me fui a jugar al jardín. Pero cuando estaba a punto de coger el ascensor, una idea pasó por mi mente: «¿Y si les echo una ojeadita a los inquilinos del 4.º A?». Bajé de puntillas el tramo de escalera que separaba su casa de la mía y me acerqué silenciosamente a la puerta A. Intenté atisbar algo a través de la mirilla...

¡Qué oscuridad! «A lo mejor todavía no han terminado el traslado», me dije. Volví a hacer ejercicios de concentración, intentando dar con la imagen de los nuevos intrusos, y, tan concentrada estaba en mis cosas, que no me di cuenta de que tintineaba la luz del ascensor. El chirrido final de la puerta al abrirse hizo que saliese de golpe de mi trance. ¡Me habían descubierto!

Me lancé en plancha hacia el ascensor justo en el momento en el que una montaña de cajas avanzaba directamente hacia mí. Alguien empujó a alguien. Tropecé, trastabillé y rodé junto a cortinas de plástico, cojines de terciopelo, cajas de kleenex y un enorme gato gris.

Tras su cola, tipo plumero, apareció una cara pálida, llena de granos, que me miraba con ojos de huevo por encima de la montura de sus gafas.

–¿Eres espía o cotilla? –me preguntó a bocajarro.

Me quedé muda. ¡Qué rabia! No supe qué decirle a aquel cara de sapo. Así que eché a correr, sorteé su barrera de obstáculos y me metí en el ascensor. «¿Arriba o abajo? –pensé tan solo un segundo–. Abajo –decidí finalmente–. Así él no sabrá que vivo en el quinto.»

–El de los granos es Óscar, el chico pequeño de los nuevos inquilinos –me dijo Paco, el portero, cuando me metí en su garita quejándome de que un ser extraño, lleno de granos y con una horrible fiera gris me había atropellado al salir del ascensor–. Parece un chico tranquilo, aunque la verdad es que los padres son un poco raritos –añadió Paco en voz muy baja–. Y eso por no hablar del otro, el de la perilla. –Se detuvo un instante, yo creo que para aumentar la intriga, y luego añadió–: Solo vienen a casa por la noche.

–¿Por la noche? –grité yo. Y coincidiendo con mi aullido comenzó a sonar un timbre de forma insistente.

RIIINGGG... RIIINGGG... RIIINGGG.

–¡Que ya voy, hombre! –anunció Paco saliendo a toda pastilla de su garita–. Alguien se ha quedado encerrado en el ascensor… –comentó–. Ahora vuelvo.

Salió disparado hacia el portal 2, indicándome con la mano que le esperara. Pero yo no tenía tiempo que perder. Me dirigí directamente a los buzones del portal 1 y busqué el del 4.º A. Allí lo tenía. En un recorte de papel habían escrito cuatro nombres: «Óscar Lozano Pérez, Margarita Rituerto Saavedra, Óscar Lozano Rituerto y Faustino Bienmesabe Trigales». Parecían un ma-

trimonio y su hijo, pero ¿quién sería aquel Faustino…? La cosa olía a chamusquina…

Y como mi memoria también tiene marcha atrás, la voz de Paco comenzó a martillear en mi cerebro: «¡Solo vienen por la noche! Son un poco raritos, ¡sobre todo el de la perilla…!». Mi coco estaba en plena ebullición. «A lo mejor son contrabandistas de café, traficantes de animales en peligro de extinción, ladrones de móviles… A lo mejor los persiguen sus compinches… o, lo que es peor, la policía… ¿Y si tenemos la casa llena de chorizos?», me planteé finalmente.

¡Chorizos, como nuestros vecinos!

Preocupada, cariacontecida y dispuesta a liberar a mi comunidad de la carga de chorizos nacionales e internacionales, emprendí el plan de ataque 4.º A Patas Arriba.

«Ahora que estoy de vacaciones –me dije–, y por lo visto las voy a pasar en Madrid –me recalqué, yo solita; ya sabes que tengo conmigo muy buen trato–, tengo mucho tiempo libre para fisgonear a mi antojo.»

–¡Pues se van a enterar los del cuarto A! –grité entusiasmada, mientras mi madre, que entraba justo en ese momento en el portal de mi casa, me miraba con cara de pánico.

–¿De qué se van a enterar los del cuarto A, Marta? –me preguntó, mirándome directamente a los ojos.

Como tengo mucha labia, al menos eso me dice mi abuela, en un pispás improvisé una respuesta:

–Pues… se van a enterar de que vivimos en el quinto B. Somos vecinos, ¿no? –le contesté, eligiendo la mejor de mis sonrisas hipócritas.

Me miró con cara de sorpresa.

–La verdad, hija, últimamente te veo de lo más solícita. Será que estás creciendo.

Me tiene frita con eso de que tengo que crecer, que tengo que madurar, que tengo que ser más responsable… Como si eso de ser mayor fuese una ganga.

Yo, con mi (falsa) cara de buena

Mamá sospechando

127

17. Misión 4.ºA
Patas Arriba

9 de julio

Empiezo mi plan de ataque. Aprovechando que mi hermano está en casa de Diego, he hecho una pequeña incursión en su cuarto en busca de material de trabajo. El cuarto de Ignacio es como la cueva de Alí Babá y los 40 ladrones: allí pueden convivir bombillas, latas de Coca-Cola, corchos, gorras, montañas de calcetines sucios y algún que otro trozo mordisqueado de donuts. Pero entre todo ese batiburrillo siempre encuentras algo de utilidad. «Veamos..., aquí hay una carpeta... No me interesa; un boli, este sí; unas gafas de sol, a la bolsa; un chicle, para mí; unos guantes... de Marta. ¡Una agenda! ¡Perfecto! Además, si no se la ha llevado, será porque no la necesita, ¿no?»

Después de haberle dado un respiro a mi conciencia, que una también la tiene, he salido a hurtadillas del cuarto de mi hermano con mi botín al hombro: guantes, gafas de sol, un boli, un chicle y una agenda… Su agenda… Tras revisar todos sus teléfonos, mira que soy cotilla (he tomado nota del número de Diego, por si las moscas), he dado con todo un filón de páginas blancas. He buscado la primera y con un boli rojo he escrito justo en medio:

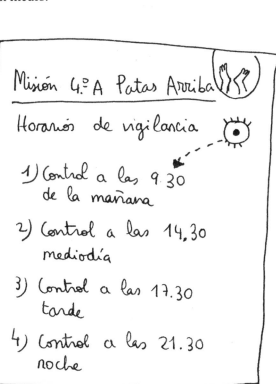

Misión 4.ª A Patas Arriba

Horarios de vigilancia

1) Control a las 9.30 de la mañana

2) Control a las 14,30 mediodía

3) Control a las 17.30 tarde

4) Control a las 21.30 noche

Como verás, soy toda una profesional. Empezaré mañana mismo mi labor de mirona. A mí estos no me la van a dar con queso.

10 de julio

He convencido a mi madre para que me llame a las nueve en punto.

¡Cómo son las madres! Cuando le digo que me deje dormir, me da la matraca de lo bueno que es madrugar, que así tengo todo el día por delante, que si esto que si aquello. Y cuando quiero levantarme pronto, está empeñada en que duerma, que ahora que puedo quedarme en la cama… Que si ahora tengo vacaciones, que durante el curso tendré que madrugar…

Pero, al fin, me ha despertado.

«¡Dúchate! ¡Desayuna! ¡Cierra bien la puerta con llave! ¡No te olvides de sacar a Baby!», me he dicho a mí misma, antes de que mi madre me soltase la murga diaria. Cuando cerraba la puerta del ascensor aún se oía un: «… te olvides de sacar a Baby…». ¡Pestiño de madre…!

En cuanto he oído el portazo, me he quitado el pijama, me he puesto una camiseta y los vaqueros y me he preparado para mi misión. Me he peinado con coleta; «Si me quito el pelo de la cara veré mejor –me he dicho, y he vuelto a entrar en el cuarto de Ignacio para mangarle los prismáticos y la brújula–. ¡Él no los va a usar!».

Kit de supervivencia del espía

Y después de pescar un paquete de galletas de chocolate, un tetrabrik de leche, un par de piruletas y un chicle para aguantar la dura misión, me he encaminado al descansillo del 4.º A. Me he apostado en el rellano y me he preparado a esperar…

No me había dado tiempo ni a sentarme en el tercer escalón, cuando he oído a mis espaldas:

–¡Hola, Marta! ¿Qué haces ahí? ¿Estás jugando al escondite?

«Yo, de incógnito, y aquí aparecen estos gazmoños», me he dicho.

Eran los gemelos del 6.º B. Se llaman Mateo y Lucas, aunque todo el mundo les llama los Dos Apóstoles.

Yo, que soy muy mía, les he mandado callar.

–¡¡¡Chiiist!!! ¡Silencio, mocosos, que estoy investigando un caso ultrasecreto!

–¿Un caso tú?, pero si solo tienes trece años.

–¿Y vosotros, nueve? ¡Enanos!

—Pues le diremos a mi madre que te dedicas a espiar a los vecinos —me han replicado los dos viborillas.

Estaba claro que aquel par de palurdos estaban dispuestos a anular mi misión. Así que no quedaba más remedio que contarles la verdad…, toda la verdad…

—Veréis… Este es un caso ultra, ultrasecreto. El famoso equipo de investigadores privados Jiménez y Cía ha pedido mi colaboración para descubrir a una peligrosísima banda de asesinos que se ha mudado a esta casa.

—¿Asesinos? —gritaron a dúo.

—Sí —afirmé—. Asesinos, atracadores, ladrones… Mi misión es seguirles la pista e informar puntualmente a Jiménez y Cía.

—Pero tú no eres investigadora…

—Sí lo soy. Tengo un carnet de investigadora novata.

—A ver, ¿dónde está?

Les conté que no lo llevaba encima para no ser descubierta… Y me hicieron jurar que se lo enseñaría al día siguiente.

Los apóstoles (cagados de miedo)

—¡Os lo juro! —les mentí.

Los pelirrojos me miraban atónitos.

—¿Y es muy peligrosa tu misión…?

—Muchísimo. No podéis

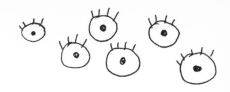

decirle ni una palabra a nadie. –Y poniendo una voz de esas que salen en las películas de detectives, he añadido–: O todos correremos un serio peligro.

Lo he debido de hacer de dulce, porque los dos han salido corriendo escaleras abajo y se han olvidado hasta de decirme adiós.

Cinco horas después sigo acurrucada en la escalera. Me he comido las galletas, las piruletas, el chicle; he dado un par de saltos, porque se me había dormido una pierna, y, vista la hora, 14.30 en punto, he dado por concluida mi labor de vigilancia matinal.

Antes de levantarme he apuntado en la agenda: «Vigilancia sin novedad. Hasta las 14.30, nadie ha entrado ni salido del 4.º A».

Mi madre ha llegado a casa a las tres menos veinte. «¿No has sacado a Baby?», me ha echado en cara nada más entrar.

Cómo explicarle que estaba ocupada en temas más importantes… Cómo decirle que me estaba convirtiendo en el ángel guardián de la comunidad.

Cuando he cerrado la puerta aún se oían sus quejas. He bajado a Baby a la calle. He llevado al chucho pulgoso al galope por la acera, tirando de la correa como si estuviese tirando de un tractor. «¡Eso te pasa por cretina, por traidora! ¿A quién se le ocurre mearse en la alfombra de la entrada?»

EXTRACTO DE LA AGENDA

Labor de Vigilancia del 4º A

Investigadora: Marta Ortiz Baquero

(10 de julio)

1) Control. 9.30 Sin novedad.
2) Control. 14.30 Sin novedad.
3) Control. 17.30 Sin novedad.
4) Control. 21.30 Sin novedad.

(11 de julio)

1) Control. 9.30 Sin novedad.
2) Control. 14.30 Sin novedad.
3) Control. 17.30 Sin novedad.
4) Control. 21.30 Sin novedad.

(12 de julio)

1) Control. 9.30 Sin novedad.
2) Control. 14.30 Sin novedad.
3) Control. 17.30 Sin novedad.
4). Control. 21.30 Sin novedad.

Los apóstoles
(emulando a Harry el Sucio)

Tres días enteros apostada en la escalera y nada de nada. Mi vigilancia ha sido un completo fracaso: nadie ha entrado ni salido de mi casa. Nadie ha pasado por esa escalera, salvo la señora de la limpieza, que me ha sacudido un par de escobazos por no dejarla barrer, y un repartidor chino de Pizza Hut que se empeñaba en que esto era Calabanchel… Nadie más ha pasado por mi rellano. Nadie…, salvo los Dos Apóstoles, que se han convertido en mi sombra. ¡Y yo que creía que huían asustados! Desde primera hora de la mañana hasta la última de la noche tengo a los gemelos pegados a mis talones. Llevan gafas oscuras, se han pintado bigote y llevan el cuello del polo subido hasta las orejas… «¡Es para que no nos reconozcan!», dicen. Como si fuese tan fácil que dos enanos pelirrojos, con la cara llena de pecas, bigote y gafas de sol pasaran inadvertidos.

Resumen final de la misión:

He acabado con la reserva de galletas de mi casa, me he bebido tres tetrabriks de leche, tengo las piernas molidas y el culo cuadrado. Y mi sombra tiene gemelos. <u>¡Me siento una fracasada!</u> 🙁

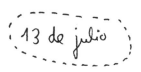

13 de julio

MARCOS = RATA

Como dice mi abuela, las penas vienen solas. Así que, para rematar la faena, mi hermano, que ha vuelto a casa a recoger no sé qué (podía haberse ido un par de años a Tumbuctú), ha echado en falta su agenda, sus prismáticos, su brújula, sus gafas de sol, sus guantes… Hasta se ha dado cuenta de que le faltaba un chicle. ¡Será rata! Ahora anda dando vueltas a mi alrededor, haciéndole preguntas al viento: «¿Alguien ha entrado en mi cuarto? ¿Alguien tiene mis prismáticos? ¿Alguien ha cogido mi brújula? ¿Alguien me ha robado los guantes? ¿Alguien tiene mis gafas de sol? Cuando pille a alguien… –Y acerca su cara hasta rozar su nariz con la mía–, … a alguien se le va a caer el pelo».

Y yo, como las esfinges, imperturbable.

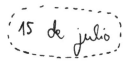

15 de julio

He terminado hasta el mismo gorro de la misión. Horas y horas sentada para nada. Por cierto, ¿cómo tendrán el culo los investigadores privados de verdad? ¿Detectives privados…? Entonces he caído en la cuenta… Tenía que buscar la ayuda de un profesional. ¿Y quién mejor que Jiménez y Cía., los detectives televisivos?

He buscado en las páginas amarillas su teléfono y lo he encontrado al primer intento. ¡Como para no verlo! Su anuncio ocupa una página entera. Tiene un recuadrado rojo, con una orla amarilla. «Jiménez y Cía. Investigadores Privados. Somos su mejor ayuda. Investigamos robo, secuestros y desapariciones. Contrate a Jiménez y Cía. y disfrutará de una larga y tranquila vida.»

No lo he dudado ni un instante y he llamado a su oficina.

–Jiménez y Cía. –me ha contestado una tía de lo más seca.

Le he preguntado por el señor Jiménez.

–El señor Jiménez no se encuentra en estos momentos en el despacho –me ha contestado la seca.

–Bueno, pues entonces póngame con el señor Cía. –le he contestado yo sin cortarme un pelín.

–Oiga, que yo no estoy para perder el tiempo –me ha replicado, la muy estirada–. ¿Es que me quiere tomar el pelo?

No entendía yo por qué se ponía tan furiosa por una simple pregunta, así que he intentado explicarle mi situación. Le he dicho que había visto el programa de televisión y que tenía un caso importantísimo para encargarles a los investigadores...

–¿Cuántos años tienes? –me ha gritado la muy sota.

–¿Cómo? ¿Qué? –le he contestado. Y entonces me he acordado de la respuesta que le había dado mi madre a

mi profe de la guardería y le he contestado muy digna, con mi voz más cursi–: ¿Quiere usted saber mi edad? Pero eso es una impertinencia. Perdóneme, pero ¿eso qué es, una oficina de investigadores privados, o una sala de interrogatorios? –Y he añadido, ladinamente–: ¿Es que ustedes tienen límite de edad para las consultas?

Mi pregunta ha sido mano de santo. La seca se ha quedado cortada tan solo un segundo, pero al fin ha añadido, con una voz de lo más melosa:

–¡Uy, disculpe, señorita! Mire qué casualidad, acaba de entrar el señor Jiménez.

El mismísimo Jiménez de la tele se ha puesto al teléfono:

–Jiménez y Cía., Investigadores Privados, a su servicio. ¿Con quién hablo?

Me he puesto la mano en la boca y he intentado imitar a mi madre. Habla muy lento, alargando muchísimo las palabras. Puesss oyeee, puesss que síííííí.

–Soyyyyyy Martaaaaaa Ortiiiiiiz Baqueroooooo y estoooooooy interesadaaaaaa en contrataaaaaar sus serviciossssss.

–Dígame. ¿En qué puedo ayudarla, señora Ortiz? –me ha respondido el superdetective Jiménez.

Aunque he intentado enrollarme por teléfono y largarle el caso completo de los del 4.º A; Jiménez, del famosísimo equipo de investigadores de Jiménez y Cía., correcto, pero tajante, me ha cortado en seco:

–Perdone, señorita Ortiz, pero según el artículo 17 del Real Decreto 7325 que ampara la creación de las agencias de investigación, no estamos autorizados a realizar consultas telefónicas. Pero si usted lo desea, encantado la recibiré en nuestras oficinas. ¿Cuándo puede usted venir? –me ha preguntado, y en su tono he notado cierto recochineo.

–Mañana mismo –le he replicado. Y cuando aún no había terminado la frase, he caído en la cuenta. «Eres tonta, Marta, ¿cómo vas a ir a la oficina si solo tienes trece años? No te van a dejar entrar. No te van a hacer ni caso. Y, además, ¡a lo mejor quieren cobrarte la consulta! ¡Jopé, la consulta!»

Ha empezado a subirme una corriente de calor por el cogote que avanzaba hacia la coronilla a velocidad de vértigo… Vamos, que me he puesto tan roja como si me hubiese puesto un verdugo, en Lanzarote, en pleno agosto.

YO = (dibujo de un tomate)

elemental, querida Cari

«¿Y qué vas a hacer ahora, pedazo de estúpida?», me he insultado, enojada conmigo misma. Me temblaban las piernas, los brazos, las cejas…

Una hora después, con el cerebro estrujado por el pánico, he tomado una decisión ya habitual en mí: «Tengo que llamar a Cari. Ella siempre sabe lo que hay que hacer».

He buscado el número del cole de Irlanda en mi libro de inglés. Lo mío es lógica: no hay un sitio mejor para guardar un teléfono de Irlanda. Allí hablan inglés. ¿Entiendes? He esperado el tono, he marcado el código de Irlanda, el de Cork:

–Haló, haló. Is Cork? I like to speak with Cari Fernández-Ladreda, please…

–Ahora mismito te paso –me ha soltado la telefonista con acento andaluz.

«Y para eso llevo yo una hora entrenándome con el inglis», me he dicho.

Dos minutos después se ha puesto Cari.

–¡Hola, mamá!…

–No soy tu madre, rica, soy Marta.

–¿Marta…? ¿Qué pasa? ¿Cómo me llamas aquí?

–Oye –le he dicho–, tú aprenderás inglés con acento de Algeciras, ¿no?

–¿Para eso me llamas? –me ha respondido la muy mustia.

He ido al meollo del asunto. Le he explicado el caso… Le he contado que tenía una cita justo mañana, que tenía que parecer mayor…, hablar como una mayor…

Ella lo tenía claro:

–Ponte ropa de tu madre, coge sus zapatos de tacón, píntate como un mural y sé muy cursiiiiiiiii, como…

–¿Como mi madre? –la he cortado…, un tanto mosqueada. A fin de cuentas mi madre es un producto familiar.

–No, no, mujer… Como cualquier adulto… –ha salido del paso, rápida como el rayo.

16 de julio

Siguiendo los consejos de Cari he entrado a saco en el armario de mi madre. He cotorreado sus trajes, sus bolsos, sus zapatooos. Mi madre tiene un traje blanco con volante que me encanta. Me lo he probado y a punto he estado de echar a volar… «¡Pero si puedo darme dos vueltas y media y aún me sobraría tela para hacerme una tienda de campaña!»

Descartados los atuendos maternos, por exceso de talla, me he dedicado en cuerpo y alma a los zapatos de tacón, que esos sí que molan. Y una, acostumbrada al tutú y a las puntas, ha descubierto que es capaz de andar con toda soltura sobre estos minizancos. De algo me tienen que servir las clases de ballet. Cuando se lo diga a Cari se va a morir de envidia.

Emocionada ante mis nuevas habilidades, me he lanzado entusiasmada hacia la bolsa de pinturas. «Ahora solo me falta una manita de pintura.» Me he dado un toquecito aquí, otro allí, y al final ni el mismísimo Picasso me hubiese superado en el toque de color. Me he pintado los labios de rojo, los párpados de violeta. ¿Y la raya? ¡Me faltaba la raya de los ojos! Tras rebuscar infructuosamente el eyeliner en la bolsa de mi madre, he echado mano de un rotu azul y me he hecho una raya súper guay.

«¡Si parezco Nefertiti!», me he dicho al echarme una ojeada final en el espejo. Visto mi look faraónico, he decidido salir de casa de extranjis, para evitar encuentros en la tercera fase.

Cuando iba camino del garaje, iba mascullando para mí: «¡Por favor, que no aparezca nadie!, ¡que no aparezca nadie!».

Debo de tener un ángel guardián porque he llegado hasta la puerta de seguridad del garaje sin ver a ningún ser humano. Ni a mi hermano tampoco. Ya más tranquila, he abierto la puerta de acceso al trastero, y, ¡zas!, allí estaban Paco y la vecina del segundo y Carlota y mi madre… Parecía que todos los vecinos de mi casa hubiesen decidido reunirse en el trastero… a contemplar una estúpida gotera.

«¡Jesús y María! Marta, ¿y esa pinta?», me ha preguntado Carlota mientras mi madre, que no les quitaba el ojo a sus zapatos de tacón, se quedaba muda por el impacto. He hecho un derroche de improvisación. Le he explicado en un segundo que estamos preparando una obra de teatro en el Centro Cívico de Chamartín y que yo hago el papel de una rica heredera de dieciocho años, que por eso me había pintado. «Pues te has pintado como una puerta», me ha respondido la graciosa de Carlota.

La vuelta a casa ha sido tensa, dura… Como el duelo final en una peli de vaqueros. «¿Ya me explicará usted, señorita, adónde iba con esas fachas? Además, saliendo por el garaje…»

No me ha dejado abrir el pico. No he dicho ni mu. Y así, sin más, me ha castigado sin salir en todo el día. Ya no podré tener mi entrevista con Jiménez y Cía.

Mi madre no tiene sentido del humor… Ni respeto por la creatividad… Ni sentido maternal…

Ni zapatos de tacón, que me los he cargado al subir por la escalera a toda pastilla.

Pero si los del 4.º A creen que me han vencido, van del ala.

Yo no seré consciente, pero soy constante…

Una semana después

Plan B

Mi madre, desde lo de los zapatos de tacón, anda un tanto mosqueada conmigo, así que yo soy más zalamera que de costumbre.

En cuanto ha entrado por la puerta, después del grito de «Mami, oh, ya estás aquí. ¡Qué bien…!», le he preguntado:

–Oye, por cierto, ¿tú no conocerás a los nuevos vecinos del cuarto A?

–¿A los del cuarto A? –ha vacilado–. Pues no, creo que ni siquiera les he visto… Pero Paco, el portero, me ha dicho que son un poquito raros… –ha continuado mi madre.

«Y eso que ella no sabe lo del tal Bienmesabe», me he dicho a mí misma.

–¿Y no estaría bien que nos presentásemos por si necesitan ayuda? –he dejado caer, por si colaba.

Mi nuevo ataque de cortesía ha debido de despertar todas sus sospechas, porque se ha dado media vuelta y me ha mirado con los ojos muy abiertos:

–Pero, bueno, ¿qué interés tienes tú en los vecinos del cuarto?

–Yo, ninguno. Creo que es de buenos vecinos presentarse y echarse una mano, cuando hace falta –le he contestado con total naturalidad.

–Mira, niña, deja a los vecinos en paz. Cada uno en su casa y Dios en la de todos –me ha replicado la muy insolidaria.

De verdad que a veces mi madre es una auténtica Madre Bis. Unas veces se pasa de moderna y otras es tan cursi como mi tía abuela Clara… ¡Esto debe de ser el salto generacional del que habla mi profe de sociales!

24 de julio

En cuanto mi madre ha salido para la oficina, me he tirado de la cama y he empezado mi nuevo plan de ataque: «Voy a llevarles a los del 4.º A un bizcocho, igual que hacen en las películas americanas». ¿No te has fijado nunca? Cada vez que llega un nuevo vecino al barrio, aparece la del chalet de al lado con un pastel de bienvenida, y de paso que se presenta, fisgonea un rato al nuevo inquilino. Te suena, ¿no? Pues ese mismo truco estaba yo dispuesta a emplear con los nuevos vecinos del 4.º A. Además, como yo solo sé hacer bizcocho de canela, pues no tengo que romperme el coco.

Sentada en la mesa de la cocina, con el libro de recetas en un atril, he comenzado a hacer un batiburrillo con todos los ingredientes de la receta: huevos, harina, mantequilla, canela, levadura, azúcar. Durante una hora he batido y batido sin parar y he terminado con el brazo derecho como si lo hubiese pasado por la túrmix. Solo me quedaba volcar la mezcla en un molde y meterlo en el horno. Y como mi abuela me tiene muy bien enseñada –«Qué mañosa eres, hija», me

suele decir–, me ha salido un bizcocho de rechupete, aunque he terminado pringada de harina hasta las cejas. Ya solo quedaba el toque final: un poquito de azúcar glas.

Y allí estaba yo, el prototipo de la vecinita modélica, en la puerta del 4.º A, con las orejas recién lavadas, las uñas blancas como la nieve, el pelo recogido en una coleta y un bizcocho para chuparse los dedos entre las manos.

He llamado al timbre. Una vez, dos, y a la de tres, cara de sapo me ha abierto la puerta. Iba en pijama, con los pelos revueltos y sin gafas.

–Síííí…, ¿qué quieres?…

–Bueno, soy tu vecina del quinto y mi madre me ha dicho que os baje este bizcocho de bienvenida –le he soltado yo de lo más pizpireta.

–¿Bizcocho de bienvenida? –ha repetido mi granulento vecino–. ¡Oye, perdona, espera un momento!

Un segundo después ha aparecido con las gafas puestas.

–¡Anda, pero si tú eres la espía!

–Yo no soy ninguna espía –le he contestado.

–Sí, que el otro día te vi mirando por la mirilla de la puerta –prosiguió.

Mientras yo me defendía de sus insultos –mira que decir que yo le espiaba–, algo me ha rozado la pierna derecha. Me he dado la vuelta y en ese momento mi perra se ha colado entre mis piernas y las de Óscar y se ha metido derechita en el salón de su casa.

Óscar ha salido corriendo tras ella. «¡El gato, mi gato!», le oía gritar. Yo he salido corriendo tras Óscar, y Baby tras el gato. Cuando Baby estaba a punto de engancharle, el gato gris, gordo y reluciente ha hecho un quiebro y de un salto increíble se ha subido a lo alto de las cortinas. Baby, desde abajo, saltaba y saltaba intentando emular al minino. Pronto ha descubierto que como escaladora es una ruina, pero como tonta no es, se ha dedicado a tirar de las cortinas para hacerlo caer. Y lo ha conseguido. Han rodado las cortinas, los visillos, el gato, mi perra y Óscar, que intentaba separarlos.

¿Recuerdas la mesa de despacho de mi padre? ¿El hundimiento del Titanic? Pues el salón del 4.º A era una buena réplica.

¡Tensión animal!

¡Cómo se ha puesto Óscar! ¡Encima de que le he llevado un bizcocho de bienvenida! Me ha cogido de un brazo, ha pillado a mi perra por el collar y nos ha puesto a los dos de patitas en el descansillo.

–¡Largooo! Vete con tu chucho y no vuelvas a aparecer por aquí nunca más –me ha gritado cual poseso.

¡Será maleducado! Mi maniobra de aproximación había fallado, y además se había quedado con el bizcocho. Para que luego te fíes del vecindario.

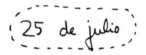

25 de julio

Estaba yo de lo más mustia pensando en mi nuevo fracaso, cuando ha entrado mi madre en la habitación.

–Marta, ¿te acuerdas de que esta tarde hay fiesta en el jardín?

–Pues, la verdad, se me había olvidado –le he respondido de lo más lánguida–. Total, no está Cari, Marcos no me habla y ni siquiera Ignacio está aquí.

–Cariño, echas de menos a Ignacio, ¿verdad? –me ha preguntado la muy insensata.

–Pues claro, mamá, a fin de cuentas es mi único hermano –le he mentido vil y asquerosamente. Se lo merece por pasarme de nuevo a su niño por la nariz.

–¿Por qué no llamas a Marcos y le invitas a la fiesta…?

–¡Ya veré! –le he dicho haciéndome la desinteresada… aunque en realidad quería decirle: «Señora, ¿se puede saber por qué se entromete usted en mi vida privada?».

–Por cierto, recuerda que, como todos los años, los niños tenéis que encargaros de comprar las patatas fritas y los ganchitos. Y no dejes de pasar por casa de Carlota, que es la encargada de organizar las mesas.

Todos los años, el comité de festejos distribuye el trabajo entre niños y adultos. Los padres se encargan de comprar las bebidas, las tortillas, el pan, el jamón y los postres. Vamos, las cosas serias. Mientras que los niños –a mí también me meten en el apartado infantil, a pesar de tener trece añazos–, nos encargamos de traer algunas chucherías de la tienda de la esquina.

«¿Llamo o no llamo a Marcos?», me he preguntado ante el espejo del baño. «¿Y si me dice que no? –he dudado–. ¿Y si me dice que sí? Gafe, más que gafe», le he dicho a mi parte pesimista. Al final ha ganado Marta positiva y le he llamado.

–Hola, ¿está Marcos?

–Sí, ahora se pone. ¡Marcoooooosssssss, al teléfono!

–¡Hola! ¿Quién es?

–Soy Marta. –Y al otro lado del hilo, silencio–. Soy Marta Bis –se me ha escapado. «¡Seré gilipollas! Ahora va y cuelga y nunca más me vuelve a hablar», he pensado por un minuto.

–Hola, Marta, no te había conocido; como hace tanto que no me llamas…

–Jo, ni tú a mí –le he respondido–. ¿Quieres venir esta tarde a la fiesta de mi casa?

–Bueno, vale, ¿a qué hora es?

–Empieza a las ocho, pero si quieres puedes venir antes…

–De acuerdo. Luego paso por tu casa.

Lo mío es una manía. Cada vez que algo me gusta grito «¡Bieeennn!», pero esta vez, con la emoción, he lanzado el teléfono a lo alto y me ha ido a caer justamente en la nariz.

¡Qué dolor! He comenzado a sangrar… Me he puesto un pañuelo en la napia y he echado la cabeza hacia atrás como me ha enseñado mi abuela… Y caminando de esa guisa me he tragado la mesita redonda del salón donde tiene mi madre sus cajitas de cloisoné…

¡precisamente hoy, que voy a ver a Marcos!

«Marta, relájate –me he dicho a mí misma–. Que cuando empiezas así tienes un mal día.»

Me he puesto una tirita en la nariz por si las moscas,

he tirado a la basura los restos del cloisoné que habían fenecido y me he ido a casa de Carlota.

–¡Hola, Carlota, vengo a ver qué tenemos que comprar para la fiesta!

–Pero, hija, Marta, ¿qué te ha pasado en la nariz?

Le he dicho que me había dado con una puerta. Si le llego a decir la verdad, no me hubiera creído.

–Pasa, Marta, pasa, que ya están aquí Alicia, Mateo y Lucas…

¿Mateo y Lucas…? ¡Oh, no, los Dos Apóstoles de nuevo!

–Vamos, Marta, pasa… –insistía Carlota, porque yo, ante la perspectiva de encontrarme otra vez a los dos gemelos, me había aferrado al marco de la puerta con las dos manos.

Hemos entrado en la cocina y allí estaban los dos.

–¡Hola, Alicia!

–¡Hola, enanos!

–¡Jopé! ¿Qué te ha pasado en la nariz? –han gritado los dos a coro–. Eso es por la investigación. Seguro que te han atizao los del cuarto…

–¿Qué investigación…? ¿Qué cuarto? –han preguntado Carlota y Alicia al unísono.

–¡Es un secreto, secretísimo…! –han dicho ambos mientras me guiñaban un ojo–. Es una investigación muy peligrosa –ha empezado Mateo, pero ante el codazo de su hermano en pleno estómago, ha cerrado la boca de golpe.

Les he lanzado una mirada asesina y se han quedado mudos a perpetuidad. Ellos saben que soy una profesional.

–¿Qué tal te van las cosas, Marta? –me ha preguntado Alicia.

–Bueno, pues hay de todo –le he respondido un tanto lacónica.

Alicia es una tía guay. Tiene quince años, es más alta que mi hermano y es una fiera en los estudios: solo saca sobresalientes, ni un mísero notable. La verdad es que nos vemos muy poco, porque durante el curso está interna y solo viene a casa en Navidad y en verano, pero todos los años coincidimos en la fiesta del jardín.

–¿Y tú qué tal, Alicia? Haciendo colección de sobresalientes… –le he dicho en plan de broma.

Alicia y yo, poniéndonos ciegas de chuches

Y ella se ha reído. La verdad es que es un poco tímida, y como se pasa el día machacándose el cerebro casi no tiene amigas, así que el día de la fiesta solemos ponernos juntas en un rincón, poniéndonos ciegas de chuches.

Alicia es hija única y, como todos los hijos únicos, sueña con tener hermanos. ¡Qué digo hermanos! ¡La muy insensata sueña con tener familia numerosa!

–Te regalo a la mía –le dije en cuanto me lo soltó.

–Pero qué cosas dices, Marta. Si tú fueses hija única, te darías cuenta de lo importante que es tener hermanos.

Por un momento pensé que Alicia también era una infiltrada de mi madre, pero luego, cuando la vi con esa carita de pena, me di cuenta de que hablaba de verdad.

–¿Hermanos? Tú no sabes lo que dices, chica. ¿Es que estás loca? Con toda la casa para ti, sin tener que compartir padre, ni madre, ni perro…

En un momento de descuido, mientras hablábamos Alicia y yo de nuestras cosas, los gemelos han comenzado a largar otra vez lo del 4.º A. Así que para evitar que los Dos Apóstoles hablasen más de la cuenta, he decidido que lo mejor era acabar lo antes posible con aquella historia.

–¡Hombre, tenemos que darnos un poco de prisa!, ¿no? ¡A ver si van a cerrar la tienda y nos quedamos sin panchitos! –he soltado en pleno ataque de velocidad.

Mi truco ha sido de lo más eficaz. Hemos salido disparados hacia la tienda de la esquina y hemos hecho las compras en un segundo y, después de dejárselas a Carlota sobre la mesa de la cocina, me he despedido del personal. Le he dado un par de besos a Alicia, mua, mua, y le he dicho: «Luego te veo. –He mirado de refilón a los gemelos y les he soltado–: Y espero que a vosotros, no», y me he escaqueado a toda prisa.

Acababa de comer cuando ha sonado el timbre de la puerta. «¿Será Marcos? ¿Tan pronto? Pues sí que tiene prisa por verme», me he dicho. He ido a abrir a galope. Y, ¡oh, sorpresa! Allí estaban Mateo y Lucas.

–¿Se puede saber qué hacéis vosotros aquí? –les he soltado a voz en grito.

–Oye, Marta, ¿tú sabes si están invitados los del cuarto A a la fiesta?

¡Repámpanos! Llevaban razón. A lo mejor los había invitado el Comité de Festejos.

–Oye, Marta, no pierdas el tiempo, que tenemos mucho que hacer –me ha gritado mi madre desde la cocina.

Así que les he cerrado la puerta en plenas narices mientras con el dedo les ordenaba silencio.

Mi madre se había encargado de preparar una tarta de chocolate y pera, y yo iba a ser la pinche. Me tocaba pelar las peras y cortarlas. Claro que luego me ha hecho mil y un encargos: he tenido que recoger la cocina, bus-

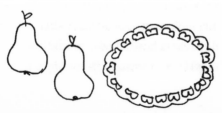

car una bandeja del armario del pasillo, un mantelito de papel con puntillas. «¡No, cuadrado no, Marta! ¡Necesito uno redondo!», me ha gritado mi madre. Vamos, que me ha dado la matraca y me ha tenido breada toda la tarde. Y yo, que pensaba pasarme dos horas en la bañera para oler a jazmín, estirarme el pelo hasta dejármelo lacio como una acelga y pintarme una raya en el ojo… No, esta vez sin rotulador, porque para quitarme el disfraz de Nefertiti estuve seis horas frotando y al final terminé con los ojos tan rojos como los besugos.

Al final, solo me había dado tiempo a lavarme las manos, hacerme una coleta y cambiar de camiseta… cuando ha sonado un nuevo ¡riiinggg! Esta vez sí era Marcos.

–¡Hola, Marta…!

–¡Hola, Marcos…!

–Vamos, Marta, dile que pase –ha insistido mi madre.

–Que no, que no, que nos vamos al jardín –le he respondido tirando del brazo de Marcos.

El jardín ya estaba lleno de críos que corrían de un lado para otro. Ya habían puesto las mesas con chucherías y había globos y farolillos colgados de las paredes.

Marcos y yo parecíamos mudos. Caminábamos uno al lado del otro sin decir ni una palabra.

–¿Qué tal el verano? –hemos soltado los dos a la vez.

A Marcos le ha dado la risa y a mí también.

Nos hemos reído un buen rato y luego nos hemos puesto a hablar como cotorras, como si no hubiese pa-

sado nada…, como si siguiésemos siendo amigos. Como si nunca hubiese sucedido lo de la Nocilla, ni lo de mi hermano, ni lo de Marta Bis. Nos hemos acercado a una mesa y nos hemos puesto ciegos de patatas. Comíamos con la boca abierta, porque no podíamos parar de hablar.

Que si el final del curso había sido horrible. Que qué tal el verano. Que si no está tu hermano…

Y entonces, mientras acabábamos con la reserva de patatas fritas, los he visto. Los dos gemelos estaban semiescondidos tras una columna. Habían enrollado una manguera del jardín y se habían sentado los dos encima. Escudriñaban el jardín con mirada de rapaz. Parecían dispuestos para el ataque.

En ese mismo momento ha llegado Ramiro, el presidente de la comunidad, y ha dado comienzo al festejo. Han empezado a sacar las tortillas, el jamón, los pinchitos… El jardín estaba lleno a rebosar. Mi madre había bajado su tarta de pera. La del primero había preparado un bizcocho borracho, y María, la del 3.º C, traía una tarta de manzana. ¡Andá, pero si allí venía Óscar el granulento ¡Y traía mi bizcocho! «¡Tendrás morro!», he estado a punto de soltarle en plena cara.

Tras Óscar venían tres adultos con pinta de Carnaval. Como les habían dicho que la fiesta era en la piscina, bajaban los cuatro vestidos de playa. ¡Eran como una aparición! Allí estaban tan ufanos, rodeados de desconocidos vestidos con sus mejores galas, y ellos con pantalones cortos de rayas y ella con un pareo que parecía del año del twist. «¿Cómo se habrán atrevido a bajar esos facinerosos?», me preguntaba indignada, cuando he visto que el mismísimo presi Ramiro se los estaba presentando a los vecinos, mi madre incluida.

–Mira, María, son los nuevos vecinos del cuarto A –le oía decir.

Y justo cuando mi madre alargaba el brazo para darles la mano y la bienvenida, ha empezado el diluvio. Los gemelos habían abierto el grifo del agua, y al grito unánime de «¡A por los asesinos!», se han lanzado manguera en ristre a la chepa de los recién llegados.

Ni sus padres, ni los míos ni el resto del vecindario podían librarlos de las iras de los gemelos. «¡Llamad a la policía! –gritaban–. ¡Que son muy peligrosos!»

Por fin, Carlos, el padre de Lara, un vecino que está cuadrado

como un armario, ha logrado coger a cada uno por el cogote y los ha levantado en vilo a medio metro del suelo:

–A ver, ¿qué pasa aquí, chavales?

Y entonces los dos me han mirado con mirada cómplice.

–¡Cuéntaselo todo, Marta!… Diles que eres la investigadora novata de Jiménez y Cía… Que estás siguiendo la pista de estos asesinos. ¡Vamos, cuéntaselo todo!

Mi cara se ha tornado verde botella. La de mi madre, rojo fucsia, y la de mi padre…, gris marengo…

Mis padres me miraban con ojos de buitre, mientras yo permanecía callada como una muerta.

–Vamos, Marta, di algo –ha dicho mi padre.

–Venga, hija, algo tendrás que decir –insistía mi madre.

–Bueno, en fin, yo, yo…, la verdad… –he tartamudeado, para después de tomar aliento soltar muy digna–: Pues mira, mamá, la verdad es que no sé de qué hablan los gemelos.

–Traidora, mentirosa… –se les oía gritar mientras su padre se los llevaba hacia el portal, agarrado cada uno por una oreja.

Tras un minuto de silencio, una risa floja, tonta y pegadiza parece haber contagiado al vecindario:

–¡Cómo son estos niños! ¡Qué imaginación! Pues mira que no dicen que son criminales –soltaban aquí y allá.

Al final, el presidente, como máxima autoridad de la comunidad, se ha acercado hasta los del cuarto y les ha presentado sus excusas.

–No se lo tomen ustedes a mal. ¡Son cosas de críos!

–Y, además, ¿no vienen ustedes en traje de baño? –ha soltado algún gracioso–. Pues ¡vamos a disfrutar de la fiesta, que no ha hecho más que empezar!

Se dejaron llevar a regañadientes… Óscar me buscaba con los ojos, con ganas de retorcerme el pescuezo. «¡Te vas a enterar cuando te pille!», parecía anunciarme. Sus padres sonreían de mala gana y el de la perilla miraba hacia todos lados con cara de lebrel. Lo que no sabían ellos es que lo peor aún estaba por llegar…

Tras el diluvio, los gemelos se fueron a la cama sin cenar, Marcos desapareció entre la hojarasca y yo me escondí tras un almendro japonés. A través de la corteza del árbol notaba la mirada de rayos x de mi madre.

A pesar de todo, la fiesta continuó como si tal cosa y los vecinos parecían disfrutar del jolgorio. Sí, los del 4.º A también. Todos parecían tan amigos…

Desde mi escondite bajo el almendro vi que empezaban a repartir las tartas. Naturalmente, la primera en catarse fue la del 4.º A; es decir, la mía. «Un trocito para usted, otro para ti. Anda, toma un poquito más.» Todos

querían desagraviar a los nuevos
vecinos, así que el bizcocho desapareció tan rápido co-
mo Marcos.

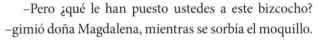

¡Bizcocho asesino!

Muy pronto comenzaron
las toses, los sudores, los hipos…

–Pero ¿qué le han puesto ustedes a este bizcocho?
–gimió doña Magdalena, mientras se sorbía el moquillo.

–¡Sí que pica, sí! –decía Carlota.

–Pues a lo mejor llevaban razón los niños y nos querían envenenar –mascullaba por lo bajini don Pío.

No, no se me fue la mano con la canela: se me fue la
mano con el frasco, y, en vez de poner canela, le puse
una tonelada de curry. Pero jamás de los jamases con-
fesaré que la culpa fue mía.

Los gemelos y su
mirada escrutadora

¡Que se chinche Óscar! ¡Que no me hubiese robado el bizcocho!

La fiesta acabó entre picores, estornudos y miradas de odio. Mi madre me miraba a mí; Marcos también a mí; Mateo y Lucas, a todos desde su ventana. Y todos miraban de reojo a los nuevos inquilinos. No fue don Pío el único en creer que nos querían envenenar. Esa idea pasó aquella noche por más de una cabeza.

No sé si fueron las emociones o el exceso de curry, pero mis padres decidieron que había llegado el momento de salir zumbando de vacaciones.

Mi suerte estaba echada. En cuanto llegaron a casa, mis padres, que no son partidarios del bofetón como arma educativa, se encerraron en la biblioteca.

Yo los oía desde el pasillo:

–Mira, Nacho, algo hay que hacer… Esta cría está imposible. ¡No quiero ni pensar en la fiesta! ¡Qué bochorno!

–Anda que también los del cuarto –decía mi padre–. Vaya bomba de bizcocho… El pobre don Pío estaba convencido de que los gemelos llevaban razón y los del 4.º A son unos asesinos.

–Ni un día más, Nacho, ni un día más. ¡Se acabó! –añadió finalmente mi madre.

18. Verano en Valdelapera

27 de julio

Mi madre, que es fiel a sus convicciones, ha cumplido su palabra y a las once en punto de la mañana me ha empaquetado en un autobús, con seis bragas, cuatro camisetas, dos pares de zapatillas y unos vaqueros, y me ha largado a Valdelapera.

–Nosotros nos vamos a Cádiz y tú te vas al pueblo con la abuela –me ha comentado la muy víbora.

–¡Jopé!, pero si en el pueblo no hay nada… ni nadie… –me he quejado insistentemente.

165

el pestilente hombre-puro

–Mucho mejor –me ha replicado la Baquero con su sonrisita más cruel–. Así no tendrás peligro de encontrarte con asesinos, ladrones o estafadores.

Te juro que cuando ha arrancado el autobús, mientras me decía adiós con la mano, he visto a mi madre sonreír como si le hubiese tocado el gordo de la lotería.

Dos horas después, ahumada como un bacalao, porque mi vecino de asiento era un puro gigantesco unido a una boina, he llegado al cruce de la carretera que lleva a Valdelapera. Mi abuela no me esperaba en el cruce, así que he cogido mi hatillo y me he lanzado sola por los caminos.

«¿Qué padres son estos que abandonan a una pobre niña de trece años, sola y desamparada, en medio del campo? –me decía a mí misma, porque, como comprenderás, no se lo podía decir a nadie más, estando perdida en medio de la foresta–. Ahora sí que me vendrían bien los consejos del doctor Nuez.»

Imaginé la escena: plató de televisión repleto de invitados y yo contándoles mis cuitas: «Pues verá, doctor Nuez, por intentar proteger a mi comunidad de vecinos de una banda de malhechores internacionales, mis padres me han desterrado al campo. Y aquí estoy, tirada en medio de un sembrado; perdida, sola, abandonada… A ver, ¿qué dice a esto, doctor Nuez?».

Mientras iba pensando en mis malvados progenitores e imaginaba mi charla con el doctor Nuez, terminé de recorrer los cien metros que separan la carretera del centro del pueblo. Ya estaba llegando al puente del molino. Allí estaban también las cuatro escuchimizadas casas, la diminuta fuente y la pequeña plaza con su roble en el centro.

–¡Vaya pueblo birrioso! –exclamé a voz en grito–. Por no tener, no tiene ni piscina…

–¡Marta! ¡Marta, hija!

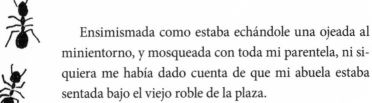

Ensimismada como estaba echándole una ojeada al minientorno, y mosqueada con toda mi parentela, ni siquiera me había dado cuenta de que mi abuela estaba sentada bajo el viejo roble de la plaza.

–¡Hola, abu! –Corrí hacia ella y me lancé en picado a sus brazos—. Me han mandado al pueblo por las buenas y ellos se han ido a Cádiz. No me han dejado elegir, ni siquiera he podido coger mi móvil, ni despedirme de los amigos… Me han dejado abandonada en plena sierra, como a los lobos… –lloriqueé–. Pero cuando llegue a Madrid lo voy a contar todo en el cole. Se lo diré al psicólogo, a mi tutora… –Y tras hacer una pequeña paradita para tomar resuello, continué–: Y al tío Ginés y a la vecina del segundo y a la del quinto, y a Paco el portero. A partir de ahora ya no seré Marta Bis, sino Marta la Abandonada –terminé con la mejor de mis poses trágicas.

–¡Vamos, hija, no seas tonta, que aquí lo vas a pasar muy bien!

–¡¡¡Aquí!!! –grité yo con toda la potencia de mis pulmones–. Pero si no hay ni cine, ni heladerías, ni Corte Inglés, ni piscina. Como no amaestre ovejas o haga carreras de hormigas… Bueno, también puedo dedicarme al derribo de mosquitos-ballena… Aún recuerdo los picotazos de mis últimas vacaciones. El médico creía que tenía viruela.

Las carcajadas de mi abuela cortaron en seco mis quejas.

¡Qué rollo de vacaciones!

–Hija, de verdad que estás dotada para la tragedia. Si no fuese porque sé que eres mi nieta, pensaría que eras familia de Nuria Espert. ¡Qué dominio de la escena!

–¿Tragedia? Tragedia la mía, que voy a estar enclaustrada en esta birria de pueblo durante todo un mes. ¡Vaya juerga! ¿A lo mejor puedo hacer carreras de sillas de ruedas con los seis ancianos del pueblo? ¿O jugar a la pata renqueante? –A medida que iba subiendo el tono de mi voz, a mi abuela se le ponía cara de modorra.

–Hombre, hija, no todos los del pueblo vamos en silla de ruedas. Y no somos seis, este año vamos a ser trece –me contestó una voz ronca que salía de la misma cocorota de mi abuela.

La miré extrañada.

–Narices, abu. ¿Qué has hecho este mes de julio? No te estará cambiando la voz como a Ignacio. Tienes la voz tan ronca que pareces mi padre…

La abuela se echó a reír, y entonces le vi. Justo detrás de ella había un tipo regordete, con una calva reluciente y unos ojos de un azul tan claro que casi parecían transparentes.

–Hija, qué cosas tienes –reía la abuela–. Mira, te voy a presentar a don Rogelio. También es del pueblo, pero ha estado muchos años sin venir.

Lo reconozco: soy una metepatas. Me subió el pavo. Noté cómo el color subía poco a poco por mi cara hasta llegarme a las orejas… ¡Menos mal que el de la calva era un tipo simpático!

¡La calva superbrillante!

–No me habías dicho, Mariola, que tu nieta ya era una señorita…

–¿Mariola? –Miré a Rogelio con la misma cara con la que me enfrento a los crucigramas–. Mi abuela se llama María –aseguré yo muy firme.

Los dos sonrieron, con media sonrisita, con ese tipo de sonrisita tonta que dice poco, pero esconde mucho.

–Bueno, cuando éramos más jóvenes yo a tu abuela la llamaba Mariola –prosiguió Rogelio.

Y más sonrisitas y más miradas…

Y entonces me di cuenta de que la abuela tenía la cara morena llena de pecas, que llevaba el pelo blanco un poco azulado y que parecía mucho más joven. Se me empezó a arrugar la nariz. Ya sabes, es como un tic. Solo me sucede cuando hay algo que no termino de entender, algo que se me escapa, que me mosquea… Es mi alma de sabueso.

Mi abuela, como si adivinase lo que estaba pasando por mi cabeza, comenzó a largarme un discurso de no te menees.

Me enteré en diez minutos de la vida y milagros del tal Rogelio. Los dos veraneaban en Valdelapera y eran de la misma pandilla. De eso hacía muchos años, cuando Valdelapera era un pueblo rico, mucho antes de que los jóvenes se fuesen a trabajar a la ciudad. Hacía años que no se veían. Rogelio no había vuelto al pueblo desde que hizo la mili –más o menos por la época del Diluvio Universal–, pero hacía tres años se había muerto su mujer. Y siguió hablando… Que si su mujer se llamaba Clara. Que si tenía un hijo y un nieto…

Aterrada ante aquel derroche de elocuencia, comencé a pensar en el mes que me esperaba entre ovejitas, hormigas y mosquitos kamikazes, y con la abuela con ataque de verborrea, cuando el nuevo acompañante de mi abuela intervino:

–Mira, Marta, te digo que vamos a ser trece, porque pasado mañana llegan mi hijo y mi nieto.

¡Qué bien, o sea que además de estar desterrada, mordida por tarántulas, siendo pasto de los animales más voraces, ahora también iba a tener que hacer de niñera! ¡Pues eso sí que no! Empecé a imaginar a aquel niño insoportable: pelirrojo, con pecas, gritón… Vamos, una copia simple de los Dos Apóstoles, y me puse a temblar de terror. Temblaba de tal manera que mi abuela me dio su chaqueta: «Toma, hija, abrígate, que parece que has cogido frío».

Tuve tal ataque de pánico que me pasé toda la tarde sin moverme de casa, sentada ante el televisor. «No vaya a ser que el niño adelante el viaje y me pillen desprevenida en plena plaza.» Me tragué informativos, musicales, películas. Lo vi todo. Era una forma de que los mayores entendiesen que aquel no era mi lugar… que yo quería estar rodeada de ruidos, autobuses, hamburguesas…, y que no quería ver niños ni a dos millas a la redonda.

Cenamos la abuela y yo, frente a frente, con la única compañía del televisor, y como a mí ya se me había puesto cara de pantalla, nada más acabar de cenar me fui a la cama para poder seguir rumiando a solas mi tristeza. Y como cuando quiero darme la lata lo hago muy bien, me arrebujé entre las sábanas y comencé mi labor de acoso y derribo. «Este pueblo es un rollo –me repetía–. Me voy a aburrir como una ostra. Pero ¿quién puede vivir en un sitio en el que no hay heladerías, ni piscinas municipales, ni donuts? Aquí solo hay campo, río, gallinas y  ranas… Y mosquitos, eso sí, mosquitos como elefantes.» Y con el zumbido insistente de los mosquitos me dormí.

29 de julio

No sé si ha sido el sol que me daba en los ojos, o el aroma de chocolate que subía de la cocina, pero a las once de la mañana me he despertado. Y no sé por qué me he despertado de buen humor… y mira que tengo motivos para estar triste. La abuela había descorrido los visillos de mi cuarto y me había preparado mi desayuno favorito: chocolate con pan frito. «Bueno, más vale, que, aunque abandonada, aún tengo abuela», me dije.

Mientras me desperezaba y trataba de poner en orden mi maraña de pelo, oí risas en la plaza. Me acerqué sigilosamente a la ventana temiéndome lo peor. Allí es-

taría el nietecito de Rogelio dándole patadas a un balón o persiguiendo a un pobre perro… Pero por más que escudriñé hasta el último rincón de la plaza no di con aquel mocoso. Vi a la abuela, a Rogelio y a su hijo –lo supe enseguida porque sus ojos también eran transparentes–. ¿Y el niño? Busqué al enano pelirrojo por todas partes, pero ni por esas.

Me animé. A lo mejor se ha quedado con su madre. ¡Mejor! ¡Mucho mejor! «No hay nada como una madre para cuidar de un niño», me dije a mí misma. Claro que inmediatamente rectifiqué. Bueno, hay madres y madres…, porque algunas te echan de casa en cuanto te descuidas… Y en ese preciso momento me di cuenta de que en realidad yo era prácticamente huérfana. Ya nunca más sería Marta Bis, ni Marta la Abandonada; a partir de ahora iba a ser Marta la Huérfana. ☹

Mientras confirmaba mi nuevo apodo, eché una nueva ojeada por la ventana y me quedé muda de la emoción. ¿Qué hacía Brad Pitt en Valdelapera? Era él, os lo juro. Estaba al lado del roble; era alto, con unos increíbles ojos azules y un pelo rubio largo y liso que le caía sobre los hombros. Y estaba junto a Rogelio. ¿A ver si aquel bellezón iba a ser su nieto? «Le cuidaré, ya lo creo que le cuidaré», grité como una posesa. A ver si al final este iba a ser mi año de suerte.

Me lancé de cabeza a por mi bolsa de viaje, que estaba debajo de la cama, tratando de encontrar mi mini vaquera. ¡Maldita sea! Con las prisas por largarme, mi

¿Cómo pretende mi madre que ligue con estos cuatro trapos?

madre me había puesto toda una selección de bragas, cuatro camisetas y un mísero vaquero… «¿Y qué me pongo yo ahora, eh?», le pregunté al retrato de mi madre que mi abuela guarda encima de la cómoda, como si este me pudiese contestar.

Visto que no estaba por la labor de darme una respuesta, elegí la camiseta a rayas; me puse el pantalón y fui a peinarme una coleta. Y al llegar al baño me vi. «Pero ¿qué es esto?», grité. Limpié el espejo con la mano por si aquello era una ilusión óptica, pero no.

Allí, en medio de mi cara, justo en la punta de la nariz, había un enorme picotazo rojo, tipo garbanzo. Parecía que alguno de los elefantes-mosquito que abundan por Valdelapera había hecho noche en mi nariz. Y yo me había adormilado con su incesante zum zummmmmm.

¡El mosquito diabólico!

Y Marta, la niña de los mil nombres, tuvo un nuevo apellido. Ya no sería Marta Bis, ni Marta la Abandonada, ni siquiera Marta la Huérfana. Ahora era simplemente <u>Marta la Horrenda</u>.

Mi abuela me llamó:

–¡Marta, baja! ¡Marta, hija, baja…!

–¡Ya voy! ¡Ya voy! Qué prisas…

Bajé despacito, pensando: «Seguro que es un creído y un tonto y un chulito. Seguro que me dice que qué tengo en la nariz. Que vaya gafas, que si llevo aparato…».

Cuando llegué a la puerta de la casa, me esperaba la abuela, con Rogelio, su hijo y el mismísimo Brad Pitt.

Cuando me miró, bajé los ojos. No, no por timidez, sino para que no me vieran el picotazo de la nariz. Le saludé con un «¡Hola!» de lo más soso, como diciendo: ¿A ver qué te has creído, rico? ¡Aunque seas tan guapísimo como él! ¡Tan rubio como él! ¡Tan alto como él! ¡Tan, tan, tan…!

Y entonces habló:

–¡Hola, Marta! Soy Ángel. Me alegro de conocerte… Pensaba que iba a estar solo en el pueblo. Al menos los dos lo pasaremos mejor… ¿Quieres que vayamos al río? ¿Te apetece que hagamos alguna excursión? Tengo en casa dos bicicletas…

Me quedé mirándole como una pava. Era simpático, divertido y amable… Y ni siquiera parecía haberse dado cuenta de que tenía un garbanzo en la nariz…, ni de mis gafas, ni de mi aparato dental. Y, sobre todo, ¡era tan guapo!

Tenía que contárselo a Cari. Le cuento todas mis desdichas, todos mis problemas, todas mis neuras, «y para una vez que me sucede algo así…», me dije.

Mientras pensaba cómo contárselo a Cari, Ángel me propuso una excursión para aquella misma tarde. Yo dije que sí con cara de boba, y cuando recobré el movimiento de las piernas, subí a mi cuarto corriendo dispuesta a llamar a Cari por teléfono. Y entonces me di cuenta de que no tenía mi móvil y de que en casa de la abuela no había teléfono. «¡Estoy perdida!», pensé. Entonces comprendí que no solo me faltaba el teléfono; también carecía de algo fundamental: una máquina de fotos para inmortalizar el momento. Si no, Cari nunca creería lo de Brad Pitt.

Decidí investigar. Miré en los cajones de la cómoda de la entrada. En el aparador del salón. En un último intento subí lanzada al desván. Rebusqué entre los armatostes de la abuela: un viejo sofá, una mecedora, un caballito de madera… Pero no encontré una cámara de fotos por ninguna parte. ¡Qué rabia!

177

Sin teléfono y sin máquina de fotos, decidí escribirle una carta. «Haré como los notarios. Levantar acta del hecho».

La abuela siempre tenía papel de carta, así que rebusqué en el gabinete y encontré todo lo que necesitaba, sello incluido.

Querida Cari:

Sé que todavía estás en Cork.
No puedo llamarte ~~por teléfono~~ por teléfono
porque estoy en el pueblo de mi
abuela y aquí no hay teléfono.
Así que te envío esta carta para
que la leas cuando vuelvas.

No sé cómo lo habrás
pasado tú este año en Irlanda,
pero mi verano ha sido de lo
más triste. ¡Ya te contaré!
Escríbeme en cuanto puedas.
Te echo mucho de menos. Te
envío una foto.

Marta la huérfana

PD: Perdí a mi madre este verano.

Lo dejé así, sin especificar nada, para que se muriese de envidia en cuanto viese la foto. Escribí la dirección en el sobre y dejé la carta abierta para incluir la foto en cuanto la hiciese. «¡Dios mío! –imploré–. ¡Que alguien tenga en este mísero pueblo una máquina de fotos!»

Y como si el mismísimo Dios me hubiese escuchado, en ese mismo momento sonó el timbre de la puerta y apareció Ángel, con una cámara de fotos colgada del cuello, tirando de dos bicicletas.

–¡Hola, Marta! ¿No habré llegado demasiado pronto? –me preguntó.

Le dije que por supuesto que no, bueno, que un poquito sí…, pero que no importaba mucho, más bien poco. Le invité a pasar, a salir, a quedarse… Me tropecé con el perchero de la entrada. Me di con el banco en la espinilla…

Y a todo esto, él, impertérrito ante la puerta. «Si es que este chico es un ángel», pensé para mis adentros.

«Este es tu verano, Marta», me dije, y sin despedirme de la abuela me fui con Brad Pitt. Y también con sus bicicletas.

Yo sé montar en bicicleta… por supuesto, aunque no muy bien…, así que caminar en bici por aquellos pedregales fue como una pequeña tortura… Pedaleaba junto a él haciendo auténticos equilibrios, y yo, tan acostumbrada a hablar conmigo misma, fui dando gritos y chillidos toda la excursión, eso sí para mis adentros. A un «¡Ufff!, he librado el bache…» le seguía un «¡Por Dios, por Dios!, que allí viene un badén…».

me quiere ...
no me quiere...
¿me quiere?

Nunca, nunca en mi vida había estado tan en contacto con la corte celestial. Creo que mi ángel de la guarda guardará un recuerdo imborrable de aquella excursión –seguro que allí perdió las alas–, porque fueron tantas las ocasiones que estuve a punto de partirme la crisma que el hecho de que llegase al final del día sin un rasguño fue un auténtico milagro.

Yo, tras la rueda de Ángel, pedaleaba y pedaleaba sin parar. Recorrimos los alrededores del pueblo, fuimos al molino y bajamos hasta la presa. Y yo allí, tan campante. O casi.

Justo cuando estaba a punto de perder el resuello, va Ángel echa pie a tierra y me dice:

–Vamos, Marta, sonríe, que te quiero hacer una foto.

–¡No, no, yo a ti! –le grité desde lo alto de mi bicimovil.

–Venga, Marta, mujer… ¡Sonríeee!

Y no sé si fue porque le oí decir la palabra «mujer», que me quedé como petrificada y sonreí, ya lo creo que sonreí. Tampoco era cuestión de contarle que era yo la que necesitaba una foto suya para fardar ante mi mejor amiga. Y mientras estaba yo disertando conmigo misma, va Ángel y se monta otra vez en la bici.

Me dejó con la sonrisa en la boca. Yo allí parada como una pánfila, y él va y coge la bici y empieza a darle a los pedales como si estuviese en el Tour de Francia.

¡Maldita ortodoncia!

—¡Venga, Marta, que te quedas atrás! —me gritó cuando estaba a punto de ocultarse tras el recodo del río.

«A por él», me dije a mí misma y me lancé tras sus pasos a toda la velocidad que me permitían las piernas.

Ángel tenía quince años, como mi hermano, pero parecía mucho mayor... Y además de ser mucho más guapo, también era mucho más simpático. Hablaba y hablaba sin parar. Me dijo que él también vivía en Madrid, bueno, más exactamente vivía en Pozuelo, pero que iba al instituto en Madrid. Me contó que tenía una media novieta —«¡Uf, qué desilusión!»—, pero que lo habían dejado. «¡Huy, qué alegría...!»

Me dijo que a lo mejor su padre nos podía llevar algún día a Setién, el pueblo más cercano, porque allí sí había cine y heladería.

«¡Biennn!», grité, y mi grito de entusiasmo estuvo a punto de costarme los piños. Con aquello de la emoción, el manillar se fue hacia la derecha y a punto estuve de comerme un mojón. Convencida de que no debía manifestar mi entusiasmo si quería conservar mi cráneo en su lugar, decidí que me propusiese lo que me propusiese, aunque quisiera ser mi novio oficial ese mismo día, yo no soltaría mis manos del manillar, ni apartaría los ojos de la carretera. Afortunadamente no me hizo propuesta de noviazgo alguna.

Seguimos pedaleando, yo concentrada como si estuviese jugando al ajedrez y él sin parar de hablar.

–También podemos ir a bañarnos a la poza y subir a la cueva del Moro...

–¿A la cueva del Moro? –le pregunté.

Entonces me contó que el año anterior había ido por allí la Guardia Civil porque seguían a un preso fugado de la cárcel. Que se armó un gran revuelo, porque aquel lugar parecía muy tranquilo, pero podía resultar muy peligroso, porque en los montes de los alrededores había muchas cuevas en las que se escondían los prófugos de la cárcel de Setién.

Ante la palabra «prófugos» perdí el color.

–¿Los prófugos...? –balbuceé.

–Sí, los que se escapan de la cárcel o

no vuelven a la prisión después del fin de semana –me aclaró. Y vista mi cara de inquietud, añadió–: Pero si te asustan estas cosas…

–¿Asustarme a mí? Pero si me encantan las historias policiacas. Es más, de mayor quiero ser detective privado, o criminalista –afirmé con rotundidad.

Por supuesto, no le conté nada del único caso que había resuelto en mi vida: el famoso caso del 4.º A. Preferí seguir manteniendo mi buena fama.

Decidimos subir al día siguiente a la cueva del Moro.

–Es una excursión preciosa…

–¿Tú la conoces?

–Sí, estuve allí con mi padre el año pasado. Es una cueva pequeñita que durante la guerra

usaban los contrabandistas. Aunque ahora ya no hay contrabando, la gente de la zona que la conoce sabe que es un buen escondite.

Seguimos pedaleando sin parar de hablar, sobre todo él. Cuando llegamos al pueblo ya se había hecho la hora de la cena. «Quédate la bicicleta», me comentó. Y yo, ni corta ni perezosa, enfilé la casa de mi abuela dispuesta a llegar hasta el final. Me faltaban dos pedaladas más... Ya solo una... Ya estaba frente a la puerta. Y entonces confirmé el desastre: me resultaba imposible bajar de la bicicleta. Tenía las piernas anquilosadas y el culo materialmente incrustado en el sillín. Era como si la bici se hubiese convertido en una parte de mí. Como si me hubiesen crecido un par de ruedas bajeras y me hubiesen salido un par de cuernos a la altura de la cintura.

–¡Abuela! ¡Abuela! –llamé una y otra vez. Pero, al parecer, no había nadie en casa.

Apoyé los pies en el suelo, y cuando ya estaba dispuesta a pasar la noche al raso, aparecieron mi abuela y Rogelio.

¡Me dolían todos los músculos!

¡AY!

Tengo que reconocer que si tardan dos minutos más en
llegar me habrían encontrado dormida sobre la biciele-
ta. Entre los dos consiguieron bajarme de la bici.

Me quedé en el suelo con las piernas en semicírculo,
como si fuese la novia de Madelman… No cené. ¡No
podía sentarme! De pie, en la puerta de la cocina, me
tomé un vaso de leche y una aspirina. Necesitaba tomar
fuerzas antes de iniciar la escalada a mi cuarto. No sé lo
que sufren los que suben al Everest, pero mi ascenso fue
de lo más doloroso. Primero subía una pierna, luego la
otra. Así que los treinta escalones que me separaban del
primer piso fueron un recorrido interminable. Cuando
al fin logré llegar a mi dormitorio, me derrumbé en la
cama… y me dormí.

Soñé con Brad Pitt.

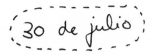

30 de julio

Cuando me desperté por la mañana pensé que por la noche me habían escayolado todo el cuerpo… No me podía mover, ni siquiera podía incorporarme…

Llamé a mi abuela a gritos:

–¡Abuela…, no me puedo mover…!

–No te preocupes, hija, tienes agujetas. ¡Mira que eres exagerada! Ahora te subo un poco de chocolate con dos aspirinas y verás qué pronto se te pasa el dolor –añadió la abuela mientras me arreglaba el embozo de la sábana.

Con mil y un esfuerzos conseguí incorporarme y me senté en la cama. Entonces me acordé de la carta de Cari. Rebusqué por la mesilla, pero allí no estaba.

–Abuela, ¿has visto una carta que dejé aquí ayer?

–Claro que la vi, hija. Mira que eres despistada. No le habías puesto el sello, ni siquiera la habías cerrado. Suerte que está aquí la abuela. Se la di ayer por la tarde a Jacinto, el cartero. Ya sabes que Jacinto solo pasa una vez a la semana. ¿Qué pasa, hija, no la querías enviar?

–Sí, pero es que tenía que mandarle una foto…

–Bueno, pues mándasela la semana que viene –añadió la abuela, dando por zanjada la cuestión.

Me había chafado el invento. No iba a explicarle yo lo del nieto de don Rogelio, así que muy a mi pesar tuve que darme por contenta.

—Bueno, gracias, abu –añadí.

Siempre tendría tiempo para mandarle a Cari la foto del bellezón. Seguro que se moriría de envidia.

Inhabilitada como estaba para practicar ningún deporte –bajar las escaleras de mi casa ya era para mí un deporte de riesgo–, le mandé un recado a Ángel con la abuela.

—Abu, por favor, dile al nieto de don Rogelio que hoy no puedo salir de excursión, que me duele mucho la cabeza. Dile que creo que tengo una insolación.

—¡Qué manía con mentir, Marta! ¿Por qué no le dices la verdad, por qué no le dices que tienes agujetas? –oí que murmuraba la abuela entre dientes mientras salía de casa.

Las aspirinas hicieron su efecto y a media mañana ya estaba yo preparada para dar mis primeros pasos por la plaza.

19. CATÁSTROFE en la costa gaditana

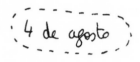

4 de agosto

Transcripción del viaje a Cádiz de los Fernández - Ladreda, contado por Cari

Cuando Cari llegó de Cork el día 3, a las once de la mañana, lo primero que vio a través de los cristales del aeropuerto fue a toda su troupe: allí estaban, casi al mismo pie de la escalerilla, su padre, su madre y sus hermanos «¡Vaya recibimiento!», pensó emocionada. Lo que no se imaginaba Cari entonces es que esto, más que una muestra de amor, era una demostración de hartura, de urgencia, de prisa… Lo único que quería su querida familia era salir zumbando rumbo a Cádiz. Ya llevaban tres días de retraso… Y la falta de puntualidad se lleva mal en la familia Fernández-Ladreda. Los Fernández-Ladreda –Cari se apellida Fernández-Ladreda Regato– son una familia unida, de esas que comen juntos paella

los domingos, que festejan los cumpleaños de tíos, primos y demás parentela
y que la Navidad la celebran a tutiplén.
También veranean juntos. Son como
una especie de <u>clan escocés</u> con cos-
tumbres rígidas e inamovibles. Por
ejemplo, todos los veranos pasan
el mes de agosto en Chiclana de la
Frontera, en un apartamento frente al mar. Y así un año y otro. A Cari y a mí nos viene de perlas, por-

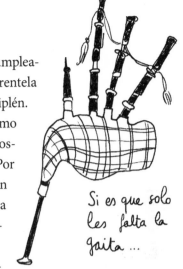

Si es que solo
les falta la
gaita ...

que como nosotros veraneamos en Roche, que está
justito al lado, pues quedamos a medio camino, en el
centro comercial de Nuevo Sancti Petri, y allí lo pasamos
bomba. Bueno, no me enrollo más. Como iba diciendo,
los Fernández-Ladreda veranean en Chiclana de la
Frontera, aunque haya amenaza de guerra nuclear. El
año en que Pancho, el hermano mayor de Cari, se rom-
pió una pierna en pleno julio, los planes familiares no
cambiaron: el día 1 de agosto salieron rumbo a Cádiz,
con una carga extra de escayola en la Vanette. Llegó rígi-
do, descoyuntado, a pesar de que le habían reservado
tres asientos de atrás, dos para él y uno para la escayola.

Tampoco variaron sus planes el año que operaron al
padre de Cari de una hernia discal: entonces la madre
de Cari condujo la Vanette, y eso sí que es un peligro
y no la guerra nuclear. Cari cree que ese año llegaron
sanos y salvos hasta Chiclana porque se fue corriendo

la voz de que avanzaba una Vanette incontrolada por la carretera de Andalucía, y los conductores se iban apartando a su paso. Yo creía que era broma, hasta el día en que la madre de Cari me llevó al colegio. ¡Debió de aprender a conducir en Sarajevo!

Así que cuando Cari llegó el día 3 de agosto, con dos días de retraso en el calendario veraniego, la familia Fernández-Ladreda al completo se mordía las uñas en Barajas, a la espera del único miembro ausente. Nada más poner pie en tierra, se abalanzaron a por ella, le dieron dos besos, le arrebataron las maletas de las manos y, a pesar de sus quejas –«Un momentito, que tengo que deshacer la maleta…, que no me he duchado…, que quiero ver

La Vanette más peligrosa del mundo

mi habitación... y llamar a mis amigos... Vamos, que quiero respirar los humos de Madrid... ¡Eh!, que quiero hacer un pis...»–, la metieron en la Vanette y pusieron rumbo a Cádiz. Y allí, enclaustrada, sin poder escapar, empezaron a asaetearla con las consabidas preguntas: «¿Qué tal lo has pasado, hija?», «¿Has aprendido mucho inglés?», «¿Te han dado bien de comer?».

La monserga materno-paterna duró hasta Despeñaperros. Estaban en pleno puerto, a la altura del Salto del Fraile, cuando la madre de Cari recordó que tenía una carta mía:

–¡Oh! Cari, mira, te he traído una carta de Marta.

–¿Me ha escrito Marta? Mira qué bien –me dice que dijo–. Esta también es lista; me paso un mes en Irlanda y no me manda ni una letra (eso sí, me llamó para contarme una historia de lo más truculenta), y va y me escribe a Madrid... A ver, dámela, dámela... –gritó intentando cortar la avalancha de preguntas.

De un tirón rasgó el sobre y empezó a leer. Se acercó la carta a los ojos. Releyó nuevamente, y, tras unos segundos en los que se podía oír el vuelo de una mosca, Cari comenzó a gimotear. Empezó poco a poco y terminó llorando a moco tendido. Cada vez lloraba más y más alto, ante la sorpresa de su familia, que no entendía cuál era el problema.

–Pero, bueno, Cari, ¿qué te dice Marta?

–Pobre Marta, pobre Marta –repetía Cari sin cesar–. Mira que quedarse huérfana…

Su madre se estremeció:

–Pero ¿qué dices, Cari? ¿Quién se ha muerto?

–Marta ha perdido a su madre este verano. Está tan triste…

–¿María? ¡La madre de Marta! ¡No puede ser! Si era tan joven… –Y tras unos segundos añadió–: No será esto una broma, ¿verdad?

El padre de Cari volvió la cabeza en redondo hacia su mujer.

–No seas así, mujer. Cómo se van a inventar una cosa así, que tienen trece años… –apuntilló, poniendo un gesto de lo más severo–. Habrán tenido un accidente, le habrá dado un infarto… Cualquiera sabe. Con las cosas que pasan hoy en día –aseguró el padre de Cari, que es lo que se dice un sieso.

Cari moqueaba cual Magdalena.

–¿Y dónde está Marta, ahora? –preguntó su padre.

–En la carta me dice que está en el pueblo con su abuela –respondió Cari sin dejar de gimotear.

BUA A A A

En la primera área de descanso de la carretera pararon la Vanette. Y Patricia, la madre de Cari, decidió llamar a todos los conocidos. Llamó a los amigos

comunes, a los esporádicos, a los vecinos, a los profesores del colegio... Nadie sabía nada de María y Nacho desde hacía unos días. Y curiosamente todos decían que era muy raro, que habían desaparecido sin haberse despedido. También llamó a Paco, el portero de mi casa, pero estaba de vacaciones. El suplente solo supo decirle que hacía varios días que no había nadie en el 5.º B.

–¡Dios mío! Parece confirmarse la tragedia... –exclamó la madre de Cari–. Nadie los ha visto en la última semana...

El viaje hasta Cádiz fue un puro sollozo. La madre de Marta contaba lo simpática que era María y la paciencia que tenía con esos hijos, sobre todo con esa hija... Cari sacaba la cara por mí (o eso me dijo).

–Oye, mamá, que Marta es mi mejor amiga.

Su padre, el sieso, partidario de la mano dura, le echaba la culpa de todo a la falta de disciplina; mientras sus hermanos, que llevaban dormidos desde el mismo aeropuerto de Barajas, seguían roncando a pierna suelta.

La llegada a Chiclana fue de lo más triste. La madre de Cari no dejaba de moquear rodeada de hamacas, sombrillas, tumbonas y toallas de baño. Cari hipaba abiertamente, aferrada al brazo materno, mientras en el sector masculino los dormilones y el sieso guardaban silencio.

En cuanto lograron descargar todos los bártulos, en casa de los Fernández-Ladreda hubo reunión familiar.

–Chicos, creo que debemos rendir un pequeño homenaje a María –comentó muy serio el padre de Cari–. Vamos a acercarnos un momento a la nueva iglesia de Sancti Petri, para rezar una oración en su memoria.

–¿A estas horas? ¿Y sin cenar? ¿Y no podemos dejarlo para mañana? –gritaron los hermanos de Cari con voz de angustia.

–En un momento tan triste como este hay cosas prioritarias –les cortó el padre de Cari con rotundidad. Y como cuando el sieso se ponía firme, a su sí no había un no, la familia Fernández-Ladreda en pleno se volvió a subir a la Vanette y puso rumbo a la nueva iglesia de Sancti Petri. Claro que no contaron con que la iglesia no tenía horario de verano, así que se encontraron con las puertas del templo cerradas a cal y canto. Y según cuenta Cari, todos, menos el sieso, respiraron aliviados.

estómago hambriento del hermano de Cari

Visto que el plan paterno se había chafado, y como a las doce de la noche por aquellos andurriales no andaba ni el gato, por mayoría aplastante decidieron que cenar también era una buena idea. Así que con sus buenas intenciones bajo el brazo, y con sus estómagos rugiendo cual panteras, porque con lo de la carta y el lloriqueo lle-

vaban sin comer desde la hora del desayuno, se dirigie-
ron al centro comercial dispuestos a asaltar el primer
restaurante que se les pusiese a la vista. Estaban tristes,
tan tristes como hambrientos.

Transcripción de los hechos narrados por mi
padre, en presencia de mi resucitada madre

Mis padres, con todo el morro, se habían ido a Cabo Roche, como todos los años. Sin remordimiento de conciencia ni nada, y con mucho menos peso que otros años. Mi
hermano estaba en Asturias con unos amigos, y a mí me
habían largado a Valdelapera, a medio camino entre Cádiz y Vladivostok. Así que disfrutaron de lo lindo jugando al golf, paseando a Baby por los pinares, comiendo
pescaíto y saliendo por las noches con sus amigos. Y sin
pensar ni un segundo en la pobre huérfana que habían
dejado tirada por aquellos mundos de Dios.

Precisamente ese día, 3 de agosto, habían quedado
por la noche con unos amigos en la heladería del centro
comercial. Llegaron a las 0.30 y, como la terraza de la heladería estaba a tope, decidieron sentarse en la terraza de
al lado. Uno se encargaría de traer los helados y el resto
esperaría tranquilamente en la terraza. ¿Y a quién le tocó
el muerto? Pues a mi padre, que es todo un caballero.

Tras veinte minutos en la fila, cuando mi padre ya
estaba a punto de llegar al mostrador –solo tenía delan-

te a un tipo descomunal, que cargaba seis gigantescos cucuruchos de chocolate–, se oyó un gritó desgarrador:

–¡Nacho, Nacho! –Una mujer envuelta en lágrimas se abalanzó sobre mi padre–. ¡Oh, por Dios, qué desgracia! No sabes cuánto lo sentimos. No me lo podía creer cuando me lo ha dicho Cari. Era tan joven…

Mi padre la miraba con cara de pánico, y el resto de las personas de la fila, que no estaban dispuestas a ceder su turno bajo ninguna condición, no dejaban de gritar: «Oiga, señora, no se cuele, que ese truco ya lo vimos el año pasado…».

Mi papi, el último.
¡Pobreee!

La madre de Cari, con aspecto de <u>cherokee</u> –las lágrimas habían cumplido su papel y tenía la cara llena de churretes–, no dejaba de gimotear ni soltaba a mi padre.

–Señora, creo que se está equivocando. Perdone, pero yo no la conozco.

–Nacho, soy Patricia, la madre de Cari…

Mi padre se le acercó intentando descubrir si debajo de aquellas pinturas de guerra se vislumbraba algún rostro conocido.

–Patricia, ¿eres tú? –le preguntó.

Mi madre, alertada por el barullo, se aproximó a mi padre.

–Nacho, ¿qué pasa?

Y entonces la madre de Cari se volvió.

–¡María! ¡Tú! Pero ¿no estás muerta…?

–¿Muerta, yo? –balbuceó mi madre.

La madre de Cari ya no la oía, porque de la impresión se había caído redonda. Pero su desmayo no fue un desmayo cualquiera. ¡No! Se cayó justo encima de mi madre, que a su vez empujó a la señora que estaba la tercera de la fila, y ella a su vez a la cuarta… Y así hasta veinte que rodaron por los suelos de la terraza.

Mientras la gente rodaba por el suelo, la vendedora de la heladería gritaba que aquello era un boicot. Que se iban a enterar los de Häagen-Dasz. Que ellos eran los responsables. Que ya sabía desde el año pasado que querían quitarles la clientela. Así que ni corta ni perezosa llamó a los municipales.

Tres horas después el asunto tocaba a su fin. Mi padre, al que le habían caído encima el gordo y sus cucuruchos de helado, tenía cierto toque caribeño, un esguince en el pie derecho y una denuncia por desacato a la autoridad. Todo por gritar: «Quítese de encima, bola de sebo». Cómo iba él a imaginarse que, cuando le gritaba al gordo de los helados, el municipal, más bien rollizo, estaba a punto de caer sobre él. También mi madre tuvo lo suyo. A puntito estuvo de pasar una noche en el calabozo por haberle atizado al seboso, léase municipal, con el bolso. Y es que cuando vio que el guardia rodaba sobre mi padre, se abalanzó sobre él al grito de: «Levántese, pedazo de gordo, que va a aplastar a mi marido», y le sacudió un mandoble para animarle a ponerse de pie con mayor presteza. La madre de Cari despertó dos horas después, en la clínica Nuevo Sancti Petri, con una brecha en la cabeza y un par de puntos extra.

Los buenos oficios del padre de Cari –el sieso– lograron que el municipal entrara en razón: «Mire usted, es que todos estamos muy nerviosos. Ha habido una casi muerte en la familia. Ha sido un día lleno de sorpresas. ¿No puede usted hacer la vista gorda por esta vez?». Y aunque, al oír lo de la vista gorda, el ceño del municipal se frunció un par de milímetros, el codazo de su compañero, que abogaba por tener la fiesta en paz, puso fin al entuerto.

–Bueno, vale. Vayan con Dios, pero no se me desmanden –dicen que dijo.

Y con las mismas, los Ortiz-Baquero y los Fernández-Ladreda Regato pusieron pies en polvorosa. O casi.

Aquella noche, aunque yo no estaba allí, Cari me asegura que todos corearon mi nombre.

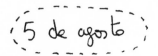

5 de agosto

El mogollón en la heladería no había contribuido a mejorar el humor de mi madre. Así que, en cuanto mi padre abrió el ojo izquierdo, se le tiró a la yugular y le increpó:

–Oye, Nacho, ¿qué vamos a hacer con Marta? No podemos dejarla sola con mi pobre madre, que ya es una anciana. Un mes en Valdelapera, y el pueblo puede quedar como Afganistán.

–Pero, mujer, ¿no oíste a Cari? Si todo ha sido un malentendido –trataba de meter baza mi padre.

–Ni malentendido, ni porras… Claro, como a ti no te ha matado…

Decidieron, más bien mi madre decidió, que mi lugar estaba en Cádiz, junto a ellos. Así me podrían vigilar muy de cerca y evitarían que provocara más desastres.

Como si yo fuera el huracán Mitch.

20. Una hija de quita y pon

¡Y muy, muy enfadada! →

(7 de agosto)

Cuando llegó el cartero aquella tarde, bajé corriendo a por mi carta. Estaba segura de que tendría noticias de Cari. Pero no. Solo traía un telegrama para la abuela.

–¿Un telegrama para mí?... Esos siempre traen malas noticias... –murmuró temerosa. La abuela dudó un par de segundos antes de abrirlo, pero al fin sacó su genio serrano y lo abrió. Arrugó el entrecejo–. Es de tu madre, Marta –me dijo acariciándose la barbilla, y como en un murmullo prosiguió–: Esta hija mía cada vez es más rara.

–¿Qué dice el telegrama, abu? –le pregunté.

La abuela me pasó el telemensaje materno. Lo leí atentamente:

CORREOS Y TELÉGRAFOS
TELEGRAMA

«Sigo viva. Stop. Marta viene a Cádiz. Stop. Te llamaré el jueves, a las 12.00, a la tienda de doña Inés. Stop. Tu resucitada hija María.»

El lenguaje de mi madre siempre ha sido más bien peculiar…, pero hasta ahora no me había dado cuenta de que la que era realmente rara era ella.

Centrada en su mensaje en clave tardé un momento en comprender la cuestión. «O sea que ahora quiere que vaya a Cádiz, ¿no? ¿Así que esas tenemos? ¡Pues ahora sí que no voy! –me dije muy convencida–. ¿Y a qué vendrá eso de que sigue viva…? ¿Habrá cogido una insolación jugando al golf?»

–Oye, abu, ¿tu hija era ya así desde pequeña?…

El silencio de mi abuela me hizo temer lo peor…

Como aún era miércoles, todavía quedaba un día completo para averiguar las aviesas intenciones de mi madre –bueno, más bien de mi madrastra, porque se había ganado el nombramiento por méritos propios–, así que decidí prepararme para plantar batalla. Mira tú, ahora que casi tenía a Brad Pitt en el bote, van mis padres y deciden recuperarme como hija y llevarme a Cádiz. También era mala suerte la mía. ¿Y qué podía hacer yo para quedarme en el pueblo?

Empecé a darle vueltas a la mollera. Tenía que pensar y rápido. No estaba dispuesta a desperdiciar la única oportunidad que había tenido en mi vida de ligar con Brad Pitt.

«Piensa, Marta, piensa», me decía a mí misma. «¿Y si me rompiese una pierna?», me soltó mi otro yo, antes de que me pudiese defender. «Anda, rica, que se la rompa tu madre», le contesté yo con un bufido.

A pesar de mis discusiones conmigo misma, no estaba yo dispuesta a darme por vencida. Y como tampoco estaba de humor como para andar por ahí contándole al personal todas mis cuitas, decidí quedarme en casita y darme un buen atracón de televisión. «¡Esta sí que es una buena terapia y no la del doctor Nuez!», me autoconvencí.

Me llené un tazón de leche justo hasta el borde, cogí una caja de galletas de Dinosaurios y me senté frente al televisor dispuesta a tragarme, junto a las galletas, todo aquello que saliese por la tele, todo menos Operación Triunfo, porque ya estaba hasta el mismísimo gorro de ver a tanto jovencito bellezón y triunfador. «Si es que eso no pasa en la vida real», me dije yo, como si fuese mismamente mi abuela.

galletas, leche y el mando de la tele. ¿Se puede pedir más?

Empecé a atizarle al mando a diestra y siniestra. Había toros. «¡Uy, qué horror!» grité, porque a mí los toros me horrorizan. ¿No es lo más parecido al circo de los romanos, donde luchaban los gladiadores y los leones se comían a los cristianos? Claro que de este tema no puedo hablar con mi abuela, porque ahí donde la ves, y aunque parece civilizada, es una firme defensora de lo que ella llama «fiesta nacional».

–Pero, abuela, ¿cómo podéis llamarle a eso fiesta? De verdad que no entiendo cómo puedes disfrutar viendo un espectáculo que parece propio del siglo uno, antes de Cristo. Claro, como no sea por cuestión de la edad –le suelto yo cuando quiero mosquearla.

Y mi abuela me mira con ojos de avispa y responde con mucho retintín:

–Mira, hija, no discutas de lo que no sabes… –Y cambia de tema a la misma velocidad a la que yo cambio de canal.

¡Pobre animalito!

En estas ocasiones entiendo eso del salto generacional del que hablan los adultos, porque a veces la abuela parece que me habla en morse, y yo de morse no sé un pimiento.

Atacada de fiebre antitaurina, golpeé nuevamente el mando a distancia. «Hombre, a ver si encuentro algo menos sangriento –me dije. Antena 3, La 2, Tele 5–. ¡Mira qué bien, una peli de misterio!» Parecía que esta vez iba a tener suerte, porque en ese mismo momento empezaba en Tele 5 *Sombras sospechosas*, una peli de muchísimo miedo. Y a mí las pelis de miedo o de temas truculentos me molan cantidad. No sé si será porque tengo corazón de sabueso y me van las intrigas aunque sean de cine, o porque siempre adivino quién es el culpable antes que mi hermano, que en temas misteriosos es lo que se dice un auténtico patoso. Antes en casa hacíamos apuestas:

–A ver, listilla, ¿quién crees tú que es el culpable? –solía soltarme en cuanto había una peli en la tele.

Pero cuando comprendió que yo siempre daba en la diana, mientras que él no acertaba ni una, prefirió jugar al tres en raya.

Me repantigué en el sillón, unté la primera galleta en la leche y me preparé para disfrutar de *Sombras sospechosas*. La cosa empezaba en los muelles de Mar-

Aquí hay más sangre que en una morcilla. ¡Puajj!

sella; dos policías perseguían arma en mano a dos traficantes de drogas que acababan de dejar a sus compinches en una motora. En lo alto, un tipo con una pinta de lo más siniestra manipulaba una grúa gigantesca. De pronto, una sombra surgió tras él y le rebanó el cuello como si se tratase de una sandía. «¡Jopé! –grité–. Pues anda que quito los toros para no ver sangre y esto parece mismamente un matadero.» En ese preciso momento la grúa sin control dejó caer un contenedor al paso de los policías, que quedaron hechos papilla. ¡Vaya castañazo! En un instante la sombra desapareció, produciendo al caminar un extraño crujido. ¿Crujido? ¿Crujidooo? Pero si aquel ruido no procedía de la tele. Escuché con atención. Un extraño uiiilññññññcccccc parecía venir de la cocina. Sentí un ligero temblor. Ligero, ligerísimo, porque yo para estas cosas soy más bien valiente. Pegué la oreja al suelo como los indios para ver si se oía ruido de pisadas. Pero por el clic, catacloc, catapún, más bien parecía que alguien se estaba cargando la vajilla de la abuela. Me levanté despacito, cogí el atizador de la chimenea y, arma en ristre, me dirigí hacia la cocina como una valiente. Entrar no entré: me aplasté literalmente tras la puerta, aguantando la respiración y tratando de que los latidos de mi corazón no me delatasen ante el intruso. De pronto las luces se encendieron.

El gato, más asustado que yo...

–¡Ayyyyyy! ¡Uyyy! –grité.

Y mi grito coincidió con un «¡Miau!» terrorífico. Abrí la puerta justo a tiempo de ver saltar por la ventana a un gato atigrado, más bien birrioso. Al parecer el minino, de aspecto un tanto famélico, estaba dando buena cuenta de la frasca de leche que yo había dejado fuera de la nevera, pero al oír mi alarido, el pobre salió zumbando despavorido por la ventana. ¡Si solo era un gatito! «Mira que eres tonta, Marta –me dije–. Entonces, ¿quién narices ha encendido la luz?», me pregunté mientras retiraba mi codo de la llave que asomaba en el quicio de la puerta.

–No, si es que las pelis de miedo imponen –me dije a mí misma, intentando disculpar mi ataque de pánico.

–¿No irás a tener miedo, verdad? –me preguntó mi otro yo.

–¿Miedo, yo?

Dispuesta a demostrar a toda costa mi valentía, volví al cuarto de estar y me enfrenté a la pantalla, que, como por casualidad, presentaba un anuncio de Nocilla.

–¡Aaaggg!, Nocilla nunca más –aseguré muy firme.

Me tragué el anuncio de Nocilla, el de pan Bimbo, el de Nike, y el de Súper Tele. Vi un corto de animales, un miniespacio de fútbol, y hasta le eché una ojeada a Hotel Glam… Y cuando ya llevaba dos horas atizándole al mando a diestra y siniestra, descubrí con horror que la peli se había terminado y que la escabechina de polis era el final de la película.

–¡Mecachis, y yo que llevo dos horas esperando el final! –grité–. ¡Hoy se me rebela hasta la tele!

Me tragué el telediario mientras me atiborraba de galletas y cuando estaba a punto de irme a la cama llegó la abuela. Sonreía.

–¡Hola, hija! ¿Hoy no has salido con Ángel?

–No, abuela, tengo mucho en que pensar.

–Todavía andas dándole vueltas al telegrama de tu madre, ¿eh? –me preguntó. Mi abuela se había percatado al instante de mi morriña.

–Oye, abu, que conste que no pienso irme a Cádiz, aunque lo digan mis padres.

–Vamos, hija, si tus padres dicen que tienes que ir a Cádiz, ¡irás!

–Jopé, abuela, ahora que me lo estaba pasando tan bien. Con lo simpático que es el nieto de Rogelio…

Al oír la palabra «Rogelio» a la abuela se le iluminó la cara.

La abuela, cuando le hablan de Rogelio.

Yo me quedé mirándola fijamente…

–Oye, abu, ¿no te habrás echado novio?

Mi abuela se sonrojó.

–Vamos, hija, no digas más tonterías y vete a la cama.

Me fui a la cama encendida, mosqueada con el mundo en general y con mi abuela en particular por no defenderme de mis padres. ¿Qué se habían creído, que me iban a llevar a Cádiz con la misma facilidad con la que me habían largado a Valdelapera? ¡Eso estaba por ver! Y dispuesta a batallar con uñas y dientes me quedé dormida como un tronco.

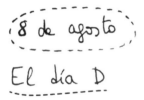

El día D

Aquella noche luché a brazo partido con todo el mundo. Me pasé toda la noche discutiendo con mi madre, gritándole como una posesa a mi hermano, subiéndome a las barbas de mi padre. Por discutir, hasta regañé con mi abuela, que se negaba a que me quedase en el pueblo. ¡Qué nochecita! Así que cuando me desperté por la mañana tenía la cabeza como un bombo, la sábana hecha un burruño y la almohada parecía recién salida de la centrifugadora; era como si alguien le hubiese atizado de lo lindo. ¡Mi almohada! La verdad es que me sentí un poco culpable de haberla sacudido cual estera, así que la ahuequé un poquito para que tuviese mejor aspecto y la deposité con mimo sobre la cama.

–No, si tú no tienes la culpa de nada –le dije yo, lanzándole una mirada de cariño. Porque entre mi almohada y yo hay una verdadera historia de amor.

Mi mejor amiga: la almohada

Yo siempre he querido de una forma especial a todas mis cosas: mi mantita, mi almohada, mis zapatillas de los Simpson. Les hablo como si fuesen personas, porque al fin y al cabo pasan mucho más tiempo conmigo que algunos amigos. Y además, ellas nunca me traicionan.

Todavía me acuerdo de mi mantita azul. Tenía ocho años cuando la bruja de mi madre me la quitó definitivamente, y eso que me había acompañado desde el día que nací. Estaba un pelín desteñida, deshilachada por los bordes, pero era mía. Después de ocho años me había acostumbrado a su tacto, a su color, a su sebo… porque un poco de suciedad sí que tenía. Cada vez que mi madre se empeñaba en que había que lavarla, en mi casa se organizaba una batalla campal. Para empezar yo la escondía. La guardaba en el cajón de mi hermano, en la névera, bajo el sofá, pero la plasta de mi madre siempre la encontraba. Terminábamos luchando a muerte como dos leonas… Mi madre tirando de la manta para meterla a la lavadora, y yo aferrada a la mantita como una lapa, como si tuviese imán.

–¡Suelta la manta, Marta! –gritaba mi madre.

–¡Déjala, so bruja! –gritaba yo…

Sin mi manta, yo no era capaz de dormir. Así que cuando nos íbamos de vacaciones, allí estaba yo con la mantita al hombro; ¿que me iba a dormir a casa de una amiga?, pues la mantita venía conmigo, junto al pijama.

–Pero, hija, que esa manta está hecha un asco –me dijo mi madre antes de quitármela por la fuerza–. ¡Y ade-

¡Mi pobre mantita!

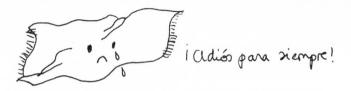

¡Adiós para siempre!

más, ya tienes ocho años! –Y lo dijo así, sin tener en cuenta mis sentimientos.

El día en que mi manta desapareció, para no volver, me agarré firmemente a mi almohada, tan firme que llevo con ella cinco años de aquí para allá, de allá para acá. ¿Que vamos a Cádiz?, pues la almohada viene conmigo. ¿Que voy a Valdelapera?, pues mi almohada también. Las zapatillas de los Simpson son otra cosa, son como si dijésemos unas recién llegadas.

Una vez hechas las paces con mi almohada, me puse a pensar… Tenía que preparar un plan para quedarme en Valdelapera. «Vamos, piensa, Marta –me dije. De entrada, decidí quedarme en mi cuarto, en silencio, para no empezar la mañana discutiendo con mi abuela–. Si me quedo en mi cuarto y me hago la dormida, la abuela me dejará en paz y así podré maquinar a mis anchas.»

Estuve a oscuras y en silencio más de dos horas y cuando me di cuenta de que por mucho tiempo que estuviese allí encerrada no se me iba a ocurrir una idea lo suficientemente brillante como para hacer cambiar de opinión a mi madre, que tiene la cabeza más dura que la piedra berroqueña, decidí lo más sensato: huir; huir con Ángel a ser posible.

Me sentía como una heroína de película, de esas que recorren medio mundo en un barco de vela, o en un carromato lleno de zíngaros… Y a mi lado, Ángel.

«Andá que como no se quiera venir conmigo a buscar aventuras», dudé. Porque Ángel era un tipo de lo más simpático, pero no le veía yo haciendo el papel de héroe de la película. Decidí lanzarme de cabeza a la aventura. Y si Ángel no quería venir, pues me iría yo solita.

Me deslicé sobre el suelo de puntillas, me vestí como los fantasmas, me peiné una coleta con los dedos y, aunque estaba muerta de hambre, me aguanté sin desayunar. Y así estuve más de media hora, hasta que, al oír el ruido de la puerta, imaginé que la abuela se iba a la

ay, si Ángel fuera como Indiana Jones...

tienda de doña Inés a seguir las órdenes de mi madrastra y yo salí disparada, justo en la dirección contraria.

Me fui al molino, a buscar a Ángel. A lo mejor quería huir conmigo a Finlandia… «¿Y por qué a Finlandia? —me pregunté—. ¡Con el frío que hace!» A Finlandia o al Tanganika, ¡lo importante era huir!

Bajé las escaleras despacito, no fuese a pillarme mi abuela en plena marcha, y antes de salir rumbo a lo desconocido le escribí una nota de lo más escueta y se la dejé sobre el aparador de la cocina:

> ¡No pienso ir a Cádiz! Yo no soy una hija de quita y pon.
>
> Marta

Iba de camino hacia el molino cuando me encontré con Ángel, que iba con su padre en una moto con sidecar superchula.

«Pues sí que estamos bien —me dije—. ¿Cómo voy a pedirle ahora que se fugue conmigo a Finlandia? Como no nos vayamos los tres juntos…» Visto que mi plan se había chafado, decidí enfrentarme a la derrota con honor. Así que puse mi mejor cara y sonreí.

—¡Hola! —solté como una pavisosa.

—¡Hola, Marta! ¿Ya se te han pasado las agujetas?

Así que a fin de cuentas mi abuela no me había guardado el secreto. «Será traidora», pensé.

–Bueno, la verdad es que no tengo mucha práctica con la bicicleta –reconocí.

–Pues haberlo dicho, mujer… Vaya paliza que te di.

Nos quedamos hablando en medio de la plaza, mientras su padre, como un pasmarote, hacía equilibrios con la moto.

–Oye, Ángel ¿quieres que nos vayamos a…? –iba a decirle a Finlandia, o al Tanganika o a la Conchinchina…, pero no me dio tiempo a terminar la frase.

–Mira qué casualidad, si iba a buscarte para que vinieses con nosotros a Setién a comprar un helado.

«Pues anda que entre Setién y Finlandia no hay diferencia», me dije. Mi héroe me había salido rana, pero ya que no podía irme a los países nórdicos, al menos huiría hasta el pueblo de al lado.

Le dije que sí, que encantada, y me subí al sidecar como una flecha. Y una vez que aquel trasto se puso en marcha me di cuenta de que viajaba en una especie de submarino, del que apenas sobresalía mi cabeza. Yo, que soy un pelín claustrofóbica, empecé a sentirme fatal. Me agarraba a los laterales con las dos manos, estiraba el cuello como los cisnes, doblaba las piernas cual yogui y respiraba profundamente… pero nada, aquello no mejoraba.

Nunca antes había ido en sidecar, así que no había tenido el gusto hasta entonces de bachearme por las carreteras. ¡Y qué carreteras! Afortunadamente entre Valdelapera y Setién solo había diez kilómetros de distancia, pero fueron los diez kilómetros más largos de mi vida. Cada bache, cada curva, cada acelerón… eran como un salto al infinito que dejaron sus muestras, más bien moradas, en una parte de mi anatomía que no debo nombrar, porque las señoritas no tienen culo.

21. Setién, ciudad sin LEY

Llegué a Setién hecha unos zorros. La cabeza me daba vueltas, y el estómago, saltos. Me sentía fatal; pero yo allí, tan chula,
aguantando el tipo hasta el final. El padre de Ángel aparcó la moto en plena plaza y yo, muy
ufana, fui a levantarme. Sí, sí, yo solita… Lo conseguí a
la tercera intentona, con ayuda de Ángel y de su padre.
El padre de Ángel me miró asustado.

–¡Estás pálida, muy pálida!

Noté que las piernas me flojeaban. «Mira que si ahora me mareo», me dije. Así que, antes de dar la nota
como siempre –no me iba a poner a devolver en plena
plaza delante del mismísimo Brad Pitt–, decidí sentarme en el banco que tenía al lado.

–Me voy a sentar un ratito a ver si se me pasa –les dije yo con la mejor de mis sonrisas.

–¿Quieres que te traigamos algo? –me preguntó Ángel Pitt.

–Sí, por favor, tráeme un helado de chocolate… –dije consciente de que helado y mareo combinan a la perfección. Vamos, son la mezcla perfecta para llevarte al hospital más cercano.

Miré a Ángel alejarse junto a su padre, mientras yo me quedaba sentada en el banco, medio moribunda.

Cerré los ojos y respiré profundamente, como dice el tío Ginés. Y estaba yo intentando tomar resuello cuando, al abrir un ojo, vi a un tipo de lo más raro que torcía la esquina. Más que delgado era lineal, parecía un personaje de dibujos animados… Abrí los dos ojos de golpe y me quedé mirándole fijamente. Llevaba barba de varios días y unos vaqueros que habían conocido tiempos mejores; pero lo que más me llamó la atención fueron sus ojos: miraba a todos lados con ojos de águila.

Mi nariz se arrugó…

El tipo siniestro llevaba una camiseta azul y una camisa por fuera… Y se acercaba. Venía derechito hacia mí. Le observé por el rabillo del ojo. Aquella cara me sonaba…, sabía que la había visto en alguna parte. Eché mano de mi memoria retroactiva. Fui haciendo un repaso… En Valdelapera, nada de nada… En el autobús… tampoco, porque, a pesar del humo del puro, pude distinguir a los viajeros. No, allí tampoco estaba. ¿Dónde había visto yo aquella cara?

–¡Tate, en la televisión! –exclamé a voz en grito.

Ojos de Águila se paró en seco. Me miró.

cara maligna

ojos de aguilucho

ropas raídas

–Así que en la televisión… ¿eh, listilla?

Entonces comprendí que mi método de hablar para mis adentros había fallado nuevamente y que había soltando un «en la televisión» a cincuenta megahercios. Vamos, que grité como una estúpida.

El tío me agarró por un brazo con tanta fuerza que casi me levanta en vilo.

–¡Andando! –me ordenó el muy mandón.

–¿Cómo? Pero ¿qué dice…? Estoy con mi padre y con mi hermano… –me resistí.

A todo esto, yo sabía que lo había visto en televisión, pero no recordaba si era un concursante de *Diez por uno* o el presentador del Telediario... Claro que con aquellas maneras tan poco caballerosas ya estaba empezando yo a mosquearme..

–Vamos, mocosa, camina –me soltó el muy animal.

Tiraba de mí como si fuese un fardo. Y entonces me puse muy nerviosa y mi estómago fracasó. Y tan cogidita me tenía que no pude evitar vomitar en su manga, y en la pernera del pantalón, y en su camisa. El tipo me soltó de pronto como si tuviese un resorte y, mientras miraba con cara de estupor a su ya repugnante vestuario, soltó un «Será guarra...» que le salió de lo más profundo del corazón.

Y por ahí sí que no pasé; mira que yo, como Baby, soy muy sentida, y le arreé tal patadón en la espinilla que terminó doblado como un ocho, y al ver que caía, le di un mandoble en la nuca, como esos que dan en las películas de kung-fu, y lo dejé tirado en plena acera. Se quedó tendido en el suelo como un saco. No movía ni un dedo.

Oí un par de gritos de «¡Dale, hija, dale!». Y entonces vi correr hacia mí a Ángel y a su padre, que venían con tres cucuruchos de helado.

–¿Qué ha pasado aquí?

Les conté lo sucedido..., bueno, una parte. Tampoco voy yo a decirles que tengo el estómago fácil y que lo mío es ir vomitando a troche y moche; ni que lo mío

preferiblemente son las mangas, aunque tampoco desdeño suelos, ni camisas, ni perneras de pantalón…

–¡Pero si nos acabamos de ir! ¿Cómo han podido pasar tantas cosas en tan poco tiempo? –comentó extrañado el padre de Ángel.

El caso es que el tío seguía patitieso en el suelo, así que Ángel Pitt decidió recuperarle de su trance con un par de buenos tortazos: ¡zis!, ¡zas!, y cuando le estaba sacudiendo los dos mandobles hizo acto de presencia la autoridad.

«Estos deben de ser amigos, porque visten igual y vienen juntos…», me reí para mí, mientras el padre de Ángel saludaba con el debido respeto a la pareja de la Guardia Civil.

–Buenos días, agentes, han llegado ustedes en un buen momento.

–¿Puede decirme usted a qué obedece este revuelo? –se le encaró el guardia más bajito mientras asomaba su nariz al semicírculo que habíamos formado en torno al caído.

–¡Andá tu tía, si es el Felipe…! –exclamó el agente, un tanto perplejo.

–Ah, pero ¿usted le conoce? –le preguntó al policía el padre de Ángel.

–Vamos, hombre, no voy a conocerle. Si es el preso más buscado de la provincia. Se fugó hace una semana de la cárcel de Setién de Arriba.

–Enhorabuena, caballeros, han logrado ustedes capturar a un peligrosísimo criminal –dijo el otro policía, mirando al sector masculino.

–No, perdone. No hemos sido nosotros. Ha sido ella…

El policía me miró.

–Hija, ¿y cómo has logrado tumbarlo? ¿Y no te ha dado miedo su pistola?

¿Pistola? Y entonces comprobé que el muy rufián lleva-

ba un enorme pis-
tolón a la cintura,
cubierto por su ca-
misa. «Pistola» fue
la última palabra
que oí antes de caer-
me redonda… <u>en bra-
zos de Ángel</u>. Porque una
puede ser rara, de estómago
flácido, vomitona, pero tonta, lo que se dice tonta, una
no es.

Los guardias civiles, en plan
Policías de Nueva York, pero con uniforme verde, echaron mano de sus
móviles.

–Páseme con el comandante
Remírez. Vamos, vamos –insistía el regordete–. Dígale
que llama el cabo Limones… –Tras unos segundos de
espera, el cabo se cuadró y dio el parte–: Mi comandante… Hemos atrapado al Felipe…

–¿Cómo que «hemos atrapado»? –grité yo, intentando defender mi parcelita de éxito.

Y el guardia, poniendo cara de pocos amigos, se re-
tractó:

–Bueno, lo ha atrapado una niña.

–¿Qué? –grité yo.

–Bueno, una mocita…

–¿Qué? –insistí.

–Una señorita, narices; ¡lo ha atrapado una señorita! –gritó finalmente el guardia.

–Que no, comandante…, que lo de narices no iba por usted –añadió finalmente Limones.

Tras un par de llamaditas más, los civiles nos llevaron al ayuntamiento. Allí, el mismísimo alcalde nos recibió. Llamó a la prisión, a la radio local, al corresponsal del periódico… Dos horas después estaba rodeada por micrófonos y flashes. «¿Cómo lo reconociste?», «¿No tuviste miedo?», «¿Y cómo lograste retenerlo?» Omití lo de la vomitona y solo dije: «Con unos pases de kung-fu». Oí un: «¡Qué valiente!», y un «Merece un premio», intercalados con numerosos aplausos.

Cuando volvimos a Valdelapera, seis horas después, mi abuela, que había revolucionado Roma con Santiago para encontrarme, me miraba con cara de urraca.

–¡Pero, abuela, si estaba con el hijo de Rogelio y con su nieto! –le dije yo haciéndome la mártir.

–¿Y qué te imaginabas que iba a hacer, dejándome una nota tan extraña?

Junto a mi abuela estaban Rogelio y doña Inés y el sargento de la Guardia Civil.

–¿Esta es la joven desaparecida? –preguntó, atusándose el bigote. Me miró fijamente y me echó un chorreo de aúpa–: Un poco más de seriedad, jovencita, que no es labor de la Benemérita ir buscando colegialas por las esquinas –me espetó, así de pronto–. Como si no tuviésemos suficiente con dedicarnos a buscar a los fugitivos. Sobre todo ahora que llevamos una semana buscando día y noche a un peligrosísimo criminal.

Y cualquiera le contestaba a aquel pedazo de armario…

Fue el padre de Ángel el que le contó lo sucedido.

El sargento no daba crédito.

–¿Que esta mocosa ha dejado K.O. al Felipe…? Pero si es un tipo muy peligroso… Lo llevábamos buscando siete días.

–¿Que Marta ha detenido a un asesino? –murmuraba mi abuela un tanto incrédula–. Pero, hija, ¿tú sabes kung-fu? –me preguntó muy seria.

–Bueno, he visto algunas películas en la tele… –le contesté muy digna–. Y ya sabes, abu, que yo me fijo mucho.

En solo un segundo los trece habitantes de Valdelapera me rodearon.

–Esta es mi nieta –presumía mi abuela.

El Norte de Castilla

Una niña captura al convicto fugado

¡Ahí estoy yo!

–Esta es la nieta de Mariola –anunciaba Rogelio.

Creo que hasta oí un: «Esta es mi novia», dicho por Ángel. Y si no lo oí, podía haberlo oído.

Los días siguientes el pueblo se llenó de periodistas. Yo era la auténtica estrella de la comarca. Todos hablaban de mi valor. «¡Con lo joven que es!», repetían. Me hicieron una entrevista en la radio, y me propusieron para Hija Predilecta de Setién. También salí en la portada de *El Norte de Castilla*. La abuela compró cien periódicos «como recuerdo», me dijo. La verdad es que yo creo que los compró para fardar de nieta. ¡Que no todas las abuelas tienen a una nieta súper estrella en casa!

De la noche a la mañana me había convertido en Marta Superplus. Y eso que antes yo era Marta Desastre. «¡Cómo son los adultos! –pensé–. Porque en realidad yo soy la misma.»

¿Y sabes qué fue lo mejor de todo? Que en la foto del periódico salí con Ángel y él me miraba con cara de bobo. Ahora sí que nadie podría dudar de que tenía un novio superchulo.

ÁNGEL

22. ¿Ser o no ser? Famosa, por supuesto

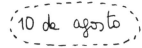

10 de agosto

Las noticias de mi heroico comportamiento traspasaron las fronteras regionales. Mis padres, que se lo estaban pasando chachi en Cádiz –aunque Nacho I seguía con la pata renqueante, el gordo le había dejado el pie hecho unos zorros y mi madre no paraba de largar la cantinela de que «cómo podía tener una hija que la quitaba de en medio a las primeras de cambio»–, pasaban sus mañanas entre el chiringuito de la playa de Roche, tomando rebujitos, y el campo de golf, donde le atizaban cual posesos a la bola, sin tener en la menor consideración su opinión. ¿Es que las bolas no tienen corazón? No habían vuelto a tener noticias de los padres de Cari,

¡Socorro!

ni malditas las ganas que tenían de volverse a encontrar con Patricia, cuyo ataque de histeria a punto había estado de terminar con sus huesos en comisaría; ni tampoco habían vuelto a poner el pie en el centro comercial.

–Yo no vuelvo a ir nunca más –aseguraba mi madre–. Con la vergüenza que pasé. ¡Qué bochorno! Anda que si nos reconocen los de la heladería…

–Pues entonces terminaremos en el pilón –le soltó mi padre, que tampoco tenía el menor interés en volver a revivir aquel episodio. Porque además de terminar a golpes con los municipales, para rematar la función, cuando el espectáculo se dio por concluido, los de la terraza empezaron a aplaudir entusiasmados, pidiendo un bis, creyendo que se trataba de un espectáculo nocturno de esos que se improvisan en el intermedio entre los habituales cantantes de habaneras y el grupo de rock duro de Sanlúcar de Barrameda.

Así que cuando los Latoja, amigos de mis padres de toda la vida, los llamaron para decirles que habían reservado mesa en el Bienmesabe para aquella noche, y les cortaron la retirada argumentando que no iban a aceptar un no por respuesta, que ya estaba bien de quedarse en casa y que chitón, que no había nada más que hablar, mi padre insistió en que si cenaban tenía que ser en el interior del restaurante, porque él no pensaba pisar aquella maldita terraza nunca más, y añadió que si iba era por ellos y que desde luego esquivaría cuidadosamente la heladería. Creo que incluso llegó a pensar en lanzarse desde el piso

OEOEOEOOOO

superor con una liana tipo Tarzán, pero desistió ante la
férrea oposición de mi madre, que no estaba dispuesta
por nada del mundo a hacer el papel de Jane.

Eran las doce en punto cuando, deslizándose cual
furtivos para que nadie los reconociese, hicieron entrada
en el Bienmesabe. Los Latoja ya estaban allí.

–Hola, Ignacio. Vamos, tío, que no os habéis dejado
ver en todo el verano. ¿Y tú qué tal estás, María? Ya veo
que guapísima como siempre... –inició la charla Maria-
no Latoja, llevando la voz cantante.

–Pues ya ves, estamos bien, como siempre... –soltaron mis padres a dúo.

Hubo intercambio de besos, de apretones de mano,
de sonrisitas y una discusión interminable sobre la mesa
en la que se iban a sentar, porque, como el comedor interior estaba prácticamente vacío, tenían mesas a tutiplén
para elegir. El camarero, que iba de izquierda a derecha,
cambiando de dirección con la misma rapidez con la que
los comensales cambiaban de opinión, al final acertó al
colocarlos en la mesa de la esquina que estaba justo enfrente del televisor.

–Asíalmenosveremoslasnoticias –sugirió mi padre.

Estaban dando cuenta de una dorada a la sal, después de haberse puesto morados de mojama, jamón, salmorejo y pescaítos –a la vez que se ponían al día sobre cómo estaban los chicos, cómo iban los estudios, si habían encontrado bien el jardín y si el handicap de golf había mejorado mucho en los últimos meses– cuando a mi madre se le atragantó la cena ante una imagen que acaba de aparecer en el televisor. Bajo el titular «La heroína de Setién», apareció mi foto y el locutor comenzó a narrar una historia que más bien parecía ciencia ficción: «Una niña de trece años ha conseguido capturar al famoso asesino Julián González Malapieza, alias *el Felipe*, que se había escapado hacía una semana del módulo penitenciario Setién II, localizado en Setién de Arriba. El valor y la decisión de la pequeña, capaz de enfrentarse a tan peligroso individuo –siguió el locutor–, han hecho verter ríos de tinta sobre el triste papel desempeñado en esta historia por las autoridades municipales, que, pese a los numerosos efectivos desplegados por los alrededores, no lograron dar con el paradero del escurridizo criminal. ¿Tendremos que confiar la seguridad de nuestras poblaciones a nuestros hijos?».

–Dime, hija, ¿cómo conseguiste detenerle? –le preguntaba en ese mismo momento el presentador a una niña clavadita a mí.

–La verdad es que, en cuanto le vi, noté que tenía una mirada rara. Y cuando me cogió por el brazo y me obligó a acompañarle, no lo pensé dos veces: hice un pase de kung-fu y le arreé un golpe en plena cocorota.

–Como verán los telespectadores, a la niña no le falta valor, ni reflejos… –siguió el comentarista, antes de empezar con el interrogatorio.

–¿Y tú dónde vives, hija? ¿Marta? Porque te llamas Marta…, ¿verdad?

–Sí, me llamo Marta.

Mi madre, incapaz de reaccionar ante lo que estaba viendo, solo acertaba a señalar el televisor con el dedo, aunque por lo visto sin el menor éxito, porque mi pa-

dre y los Latoja seguían conversando sobre el Levante que había arreciado este verano, el nuevo driver que se había comprado mi padre y que costaba una pasta, y de las pijotas que ponían en el chiringuito, este año mil veces mejores que las del año pasado.

–Marta Ortiz Baquero –continuó mi doble televisivo.

Al oír el apellido Baquero, mi madre se atragantó, porque podía suceder que saliese en la tele alguien que se pareciese a su hija, que se llamase como su hija, que tuviese el mismo primer apellido que su hija, pero que además también tuviese su apellido, eso ya le parecía demasiada casualidad. Tras una cascada de toses desgarradas, ¡aggg!, ¡psss!, ¡tochccch!, finalmente logró escupir el trozo de dorada que tenía agazapada en el gaznate.

–¡Nacho, Nacho! –llamaba a mi padre con un hilo de voz–. ¡Nacho! –repitió–. ¡Que es Marta!

–¿Dime, cariño? –le respondió mi padre pensando aún en las pijotas.

–Nacho, que es Marta.

–¿Qué Marta?

–Pues ¿qué Marta va a ser? Nuestra Marta.

Mi padre convertido en fuente humana.

Los ojos de los cuatro se centraron ahora en el televisor.

–¿Mi hija? Pero si mi hija está este año con su abuela en Valdelapera.

–¿O sea que has pasado el verano con tu abuela en Valdelapera? –preguntó el presentador finalmente.

El trago de cerveza que acababa de dar mi padre y que aún mantenía en la boca se esparció por el restaurante a velocidad supersónica, salpicando manteles, paredes y duchando al mismísimo camarero, que en ese momento parecía dispuesto a retirar los platos finiquitados.

–Es mi hija, es Marta, nuestra Marta –gritó emocionado–. ¡Mi Marta es toda una heroína!

–Pero ¿qué habrá pasado? ¿Qué hacía ella sola en Setién? Si es solo una niña –comenzó a murmurar mi madre entre dientes, mientras buscaba afanosamente el móvil en su bolso.

–Voy a llamar a mi madre ahora mismo –anunció a los cuatro vientos.

–Pero ¿qué haces mujer? ¿No pretenderás llamar a la tienda de doña Inés a las dos de la mañana?

Porque el único vínculo de contacto que mis padres tenían con mi abuela era a través de la tienda de comestibles que regentaba doña Inés. Así que tendrían que esperar hasta el día siguiente para ponerse en contacto con la abuela.

Parece que, tras la cena, mis padres comenzaron a hacer un recuento de todas mis gracias. Desde cuando me había perdido con solo tres años en Alcampo y me encontraron, tres horas después, cogida de la mano de un poli que me había pillado intentando cruzar la calle Pío XII yo solita y al que, con mi media lengua, le había contado que «me había aburrido de esperar a que mi papá comprase manzanas y que me había ido a dar una vueltecita y a comprar un helado», o de la vez que había metido al hámster de mi hermano en la lavadora, porque «estaba sucio».

Mis padres, emocionados por mi aventura se convirtieron en súper padres por un día, mientras que los

Los Latoja, deseando marcharse

Latoja, hasta el mismísimo gorro de oír contar mi vida y milagros, optaron por huir por la tangente.

–Bueno, chicos, ya nos veremos –anunciaron mientras huían a toda velocidad hacia su coche.

–Oye, pues sí que os han entrado prisas –les respondió mi padre.

Pero como ya se habían hecho las mil y una, y los del restaurante ya estaban a punto de cerrar con ellos dentro, mis padres decidieron que había llegado el momento de volver a casa.

–Vámonos a casa, María, aunque con tantas emociones no sé si voy a poder dormir…

Cuando ya enfilaban la carretera de Roche, mi madre, tan desconfiada como siempre, le soltó a mi padre:

–Por cierto, Nacho, ¿de verdad tú crees que Marta es una heroína?

–María, yo siempre te he dicho que nuestra niña vale mucho –añadió finalmente Ignacio Primero el Grande. Mi padre.

¡Súper Papá!

Mi papi, más chulo que un ocho

235

23. Noticias del Más Allá

11 de agosto

En cuanto salió el primer rayo de sol, mi madre, que se había pasado agarrada al móvil toda la noche como si se tratase de un talismán, marcó el teléfono de la tienda de doña Inés.

–¿Oiga? ¿Inés, es usted?

–¿Se puede saber quién llama a estas horas?

–Inés, que soy María, la hija de María. Quería hablar urgentemente con mi madre. ¿Podría avisarle, por favor?

–Pero, María, hija, ¿cómo voy a llamar a tu madre a las siete de la mañana? Hija, vaya forma de madrugar. ¿Es que los de la ciudad no dormís?

–Por favor, Inés, que es muy urgente…

–Vale, hija, vale, ahora le mando a mi nieto.

El nieto de doña Inés cruzó la calle veloz como el rayo.

–Doña María, doña María –gritaba como un energúmeno, mientras aporreaba la aldaba de la puerta–. ¡Que la llama su hija por teléfono! ¡Y dice que es urgente!

Mi abu, que ya se había levantado de la cama y estaba en la cocina preparando el desayuno, le dijo que estaba bien, que ahora mismito iba. Se puso las zapatillas, se peinó el pelo, que ahora llevaba más cortito y mucho más azulón, y corrió hacia la tienda de doña Inés, dispuesta a contarle a mi madre todas mis aventuras, porque estaba segura de que mi madre la llamaba para saber qué había pasado. «¿Cómo lo habrán sabido? –se preguntaba–. ¿Lo habrán visto en la tele?»

Cuando mi abu llegó a la tienda, doña Inés le estaba dando la enhorabuena a mi madre por tener una hija tan valiente…

–Mamá; oye, mamá… He visto a Marta en la tele. Pero ¿de verdad es nuestra Marta de la que hablan en las noticias…? –le preguntó a mi abuela la muy descreída, como dudando de que yo tuviese madera de heroína.

Y entonces mi abu le contó a mi madre toda la historia. Y se la contó de pe a pa, ella dice que sin exagerar ni un poquito. Yo creo que me puso de supervaliente para arriba.

Mi madre no se podía creer mis hazañas:

–¿Que ha hecho qué…? Oye, mamá, ¿de verdad estamos hablando de la misma Marta? –preguntó la muy incrédula.

–Mira, hija, Marta se ha convertido en la auténtica heroína de Valdelapera –añadió mi abuela para terminar–. Siempre te lo he dicho, Marta un día nos dará una sorpresa.

Mi abuela volvió a casa radiante.

–¡Hija, era tu madre! Me ha dicho que te han visto en la tele… y que están tan orgullosos de ti… –me contó mientras me daba un gran abrazo de esos que te dejan sin respiración.

La verdad es que la noticia de que había un héroe en la familia no solo sorprendió a mis padres. Dicen que hasta mi hermano, que todavía andaba deambulando por Asturias, se quedó patidifuso con la noticia:

–¿Que Marta es una heroína? ¿Qué Marta? ¡Marta Bis! ¡Joder…! Pues a partir de ahora no habrá quien la aguante –dicen las malas lenguas que soltó el muy deslenguado.

Y mira, a pesar de todo, aquí me tenéis, tan natural, tan discreta, tan normal. Como si no fuese Súper Marta, como si no llevase aparato en los dientes, ni gafas de culo de vaso; como si nunca nadie me hubiese llamado Marta Bis.

–¡No soy rara, soy genial! –grité bien alto para que me oyese media humanidad.

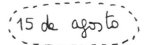

El Felipe volvió a prisión, y yo, con la Llave de Oro de Setién en el bolsillo, me quedé en el pueblo dos semanas más junto al mismísimo Brad Pitt. ¿Cómo iban mis padres a privar a toda la comarca de su nueva heroína?

La abuela, que de puro ancha ya no cabía en el banco de la plaza, les contaba a sus convecinos algunas de mis aventuras, incluida la del 4.º A, pero con final feliz.

Rogelio me daba cariñosas palmaditas en el hombro, mientras miraba a mi abuela con ojos de carnero, y hasta el mismísimo cabo de la Guardia Civil se cuadraba cuando yo pasaba en bicicleta. «Es la chica de Setién, la del Felipe…», oí que le contaba al boticario, dándole un codazo en la tripa.

Las dos últimas semanas de agosto las pasé saboreando mi triunfo. Mi abuela me mimaba, Rogelio me sonreía, y eso por no hablar de Ángel, que se había convertido en mi perro guardián. A Ángel no le perdí de vista ni un segundo. Aprovechamos el tiempo para subir hasta la cueva del moro, fuimos a nadar, cogimos frambuesas, incluso hicimos algún recorrido en bicicleta, porque ya le había cogido el punto al pedal y era capaz de terminar el recorrido, por largo que fuera, sin romperme ni un piño. Y ahora que me doy cuenta, durante dos semanas no vi ni un solo minuto la tele.

También volvimos un par de veces a Setién. Yo allí me sentía a mis anchas. La gente me miraba y se daba codazos.

–Es ella, la del Felipe –repetían. Y yo mirando hacia otro lado, haciéndome la interesante.

Hasta el padre de Ángel nos invitó un día al cine, aunque luego él se largó a hacer no sé qué.

–¿Queréis ir a ver *El Señor de los Anillos*? –nos dijo–. La ponen en Setién. Así que, si queréis, os llevo. Pero no te preocupes, Marta, esta vez iremos en coche.

Suspiré aliviada y dije que sí, que bien, que estupendo. Yo ya había visto *El Señor de los Anillos* en Madrid, pero no me importaba nada volver a verla, porque a mí las historias de elfos y trasgos me encantan. Me gustó sobre todo Légolas, con esa melena tan lacia y ese arco, y Trancos, el super-super-héroe que tenía una novia elfa.

Esta vez el viaje a Setién fue más rápido y menos accidentado. Llegamos a la plaza, nos dejó ante la puerta del cine y desapareció. Antes de entrar, Ángel y yo pasamos por la tienda de chuches y compramos dos chocolatinas, un par de bolsas de pipas y dos botellines de

agua. Luego estuvimos toda la peli clic, clac, clic, clac sin parar de comer ni de hacer ruido.

Esta vez la peli me gustó mucho más que la anterior. Yo creo que por la compañía. No por la Compañía del Anillo; hablaba de la compañía de Ángel. Además, cuando en plena batalla Trancos está a punto de morir, yo di un respingo, y Ángel me puso una mano en el hombro.

–Vamos, Marta, no te asustes, que solo es una peli –me dijo.

Solo me cogió del hombro un minuto, pero a mí me dio un salto el corazón. ¿No era aquello una declaración definitiva de amor?

«No pienso cambiarme de camiseta en un mes», me juré a mí misma. Y habría cumplido mi promesa si mi abuela y la lavadora automática no se hubiesen cruzado en mi camino.

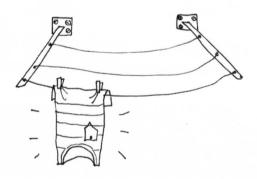

24. Se acabó. Versión *Spanish* de *The End*

El tiempo pasó volando. ¿No te has fijado que eso siempre ocurre cuando lo estás pasando pipa? El caso es que llegó el momento de volver a Madrid. No, esta vez no volví en autobús. La abuela habló con Rogelio, y como Ángel y su padre tenían que regresar a finales de agosto, pues decidieron que podíamos volver todos juntos.

–Claro, doña María, la llevaremos encantados –le respondió Ángel I, ante la mirada cómplice de Ángel II–. Además, su nieta es una buena defensa por si nos atacan por el camino –terminó el padre de Ángel con cierta coña.

El día 30 de agosto, a las ocho de la mañana, Valdelapera en pleno salió a despedirme. Mi abuela nos

había preparado unos bocatas para el viaje y doña Inés me envió con su nieto unos bollitos de leche rellenos de crema.

–¡Jo, dale las gracias! –le dije–. ¡Es que me encantan! –Y no lo dije por cumplir. Me los habría comido allí mismo, de no haber sido porque mi abuela estaba al quite.

–Pero, hija, guárdalos para el viaje, que acabas de desayunar.

Le hice caso a regañadientes.

–Bueno, vale, abu –le dije, antes de darle un beso y un achuchón gordísimo.

Me subí al coche y me puse de rodillas en la parte de atrás, para poder ver a la abuela. El coche arrancó y yo le fui diciendo adiós con la mano todo el rato, hasta que mi abu se convirtió en un punto chiquitito.

¡Abu!

7137CH

Eché un par de lagrimitas, lo reconozco. La verdad es que me daba pena dejar Valdelapera; pero mi pena solo duró un segundo, el tiempo justo de darme cuenta de que Ángel estaba allí.

Los sesenta minutos del viaje se pasaron en un pispás. Brad Pitt y yo aprovechamos el viaje para hacer manitas –espero que esto no lo lea mi abuela–, y para hablar de nuestras cosas. Que si íbamos a quedar los fines de semana, que si él vendría a Madrid, que a lo mejor yo algún día podía ir a su casa a comer con mi abuela, que si esto, que si aquello.

Cuando llegamos a Madrid y enfilamos mi calle, porque el padre de Ángel me llevó hasta la mismísima puerta de casa, vi asombrada que mis padres me saludaban desde la ventana. ¡Me estaban esperando!

–¡Hola, Marta! ¡Ahora mismito bajamos! –los oí gritar.

Mientras bajaba mi impedimenta: mi mochila, mi almohada, mis zapatillas, un tarro de miel y un pan de pastor, de esos que tie-

piedra de Ángel

nen la corteza dura que tanto le gusta a mi padre, un ramo de amapolas –mis flores preferidas– y una piedra en forma de corazón que me había regalado Ángel, hicieron acto de presencia Paco, el portero, su hijo Germán, los gemelos, Consuelo; incluso Paloma abandonó por unos minutos el quiosco para venir a darme la bienvenida.

–¡Hola, Marta, hija, vaya veranito! –me dijo Consuelo dándome un abrazo.

–Oye, ya me contarás, Marta –me susurró Paco al oído.

–¡Jo, tía, tope guay! –soltaron Mateo y Lucas.

Ahora estos memos sí se creerían que yo era toda una profesional. ¡Pues no pensaba sacarlos de su error!

«¡Solo faltan las pancartas y la banda de música!», me dije, orgullosa de mí misma. Pero ¿quién le había contado a todo el mundo que llegaba? Porque yo no había llamado a nadie, por no llamar ni siquiera había llamado a mis padres.

Fueron mis padres los que, hinchados como pavos,

se dedicaron a contarle a todo el mundo que su hija, la heroína, volvía a casa. ¿A lo mejor habían hecho buenos propósitos para terminar el verano?

Y hablando de padres, mi padre apareció en la

calle como los tornados, corriendo como un loco. Creo que bajó los cinco pisos a saltos, dando brincos cada cinco
escalones.

–Marta, hija. ¡Qué ganas tenía de ver-
te! –me soltó mientras me espachurra-
ba contra su pecho.

–¡Hola, papi! –solté yo antes de iniciar el reparto de besos–. ¿Y mamá?

Mi madre, como siempre más comedida, bajaba en
ascensor.

–Marta, cariño –me soltó nada más verme. Me
besó, abrazó, machucó; y lo más extraño: te juro que
me miraban como si yo fuese una porcelana china.

–La abuela nos ha llamado para decirnos que venías
–comentaron mis padres, casi al unísono.

«Mi abu», pensé para mí con ternura, antes de empezar las presentaciones.

–Bueno, voy a presentaros –les dije yo, muy seria,
haciendo el papel de señorita Pepis–. Estos son mis padres; y estos, Ángel Bis. Ángel y Ángel –recalqué por
si no habían pillado el chiste. Y ante mi sorpresa mis
padres se rieron a mandíbula batiente… y yo, la verdad,
no sé si supe disimular mi cara de asombro.

Después de los consabidos «encantados, mucho gusto, aquí tenéis vuestra casa y ¡hasta otra!», el padre de
Ángel y mi Brad Pitt particular se fueron hacia Pozuelo, no sin que antes Brad y yo quedásemos para el fin de

¿Por qué me ven así de repente?

semana. ¡Ahora tenía tantas cosas que hacer, tenía tantas cosas que contar…! Quería ver a Cari y desmenuzarle, en vivo y en directo, todas mis hazañas. Por supuesto, también llamaría a Marcos para decirle, como de pasada, que tenía un nuevo novio.

¡Este sí que había sido un buen verano! Por primera vez en mi vida tenía ganas de volver al cole… Y de corretear por los pasillos contando mis triunfos a los cuatro vientos. Le pediría a la abuela unos cuantos periódicos y los iría repartiendo de clase en clase. Y también daría charlas: «De Setién a Valdelapera. Mi contribución a la sociedad». ¡Ah, y no me negaría a firmar autógrafos!

Este nuevo curso estaba dispuesta a ser amable con todo el mundo…, incluida la pava de Patricia López.

Diccionario para mir●nes

¿Y tú qué miras, eh? Sí, tú, que has ojeado las páginas de mi diario sin mi permiso. Y a lo mejor luego vas divulgando por ahí mis secretos, como si tal cosa. ¿Que no te coscas de la misa la media? Pues para que te enteres, para que no vayas diciendo que vaya rollo, que si no entiendes esto o aquello.

Cuando yo digo...   quiero decir...

Trifulca	Un lío de los de órdago.
Impertérrito	Hecho una estatua de sal.
Aburrirse como una ostra sorda	Estar asquerosamente aburrido.

¿Qué?

Birlar	Tomar prestado (sin permiso).
Mastuerzo	Cretino, imbécil, Nacho.

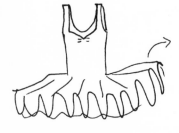

Tutú
Faldita de lo más cursi que una
se pone para bailar ballet.

Desaparecer en el hiperespacio	Desaparecer rápido cual rayo.
Mis cuitas	Mis problemas, mis dramas, mis aventuras.
Señoritinga	Niña más bien chulita. Marta, a veces.
Amnésica	Con muy pero que muy mala memoria.
Beagle	Que tiene pedigrí y no es un chucho pulgoso.
Pincher	Igual que el beagle pero más feo.

Prescripción facultativa	Que lo manda un médico y punto.
Dar la matraca	Dar la vara.
Ir al ralentí	Ser un lento.
Murga	Igual que matraca pero en abuela.

Ataque de mosqueo sideral
Cabreo en el hiperespacio.

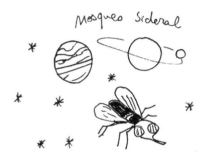

Mosqueo Sideral

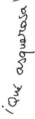

¡Qué asquerosa!

Atuendo arapahoe	Hacer el indio.
Morroña	Lo usan los artistas. Forma creativa de decir «sobrinita».
Garrapata	Bicho asqueroso que de vez en cuando tiene Baby.
Chichinabo	Petardo, al que nadie hace caso.
Zurrimurdi	Igual que chichinabo pero en euskera.
Bombiza	Fati, gorda. Mi madre tras un atracón de chocolate.
Monserga	Matraca tipo familiar.
Cenutrio	Insulso, cretino, Ignacio.
Machucón	Golpe de mano en el occipucio.
Occipucio	Cocorota.

gusarapo

Gusarapo	Familia del guanamino.
Ipso facto	Ya mismito.
Coscar	Enterarse o no enterarse. That is the question.
Máster	Cursillo intensivo que vale unas pelas.
Gazmoños	Incordios, pelafustres.
Tombuctú	Un lugar remoto de África.
Infructuosamente	Sin fruto, ni flores, ni nada.
Granulento	Con la cara llena de granos repugnantes.
Cloisoné	Cajitas de porcelana que todas las madres tienen en una vitrina o en una mesa para que las rompan sus hijos.
Fenecido	Muerto, desaparecido, roto.
Lacónica	Sosa integral.
Modorra	Urraca.
Cherokee	Pueblo indio famoso por sus pinturas de guerra.
Claustrofóbica	Que no le gustan los claustros, ni los espacios cerrados.
Megahercios	Decibelios (que lo sé, que no soy tan burra).

Urraca

Urraca	Modorra.
Ladino	Rufián, pelota, el tío Ginés cuando me falla.
Viva-voce	A voz en grito.
Metafóricamente	Que es, pero no es. Vamos, como de Shakespeare.
Vacaburra	Plasta, odiosa, mema. Cari cuando me enfado con ella.
Sopapearle	Atizarle a alguien repetidamente con una sopera.

Continuará...

La nueva aventura de Marta...
¡muy pronto en librerías!